SOMMAIRE

Mon grand livre de
CONTES classiques

1 LIVRE À LIRE / 2 CD À ÉCOUTER

P.3.   ALADIN ET LA LAMPE MAGIQUE CD1/Piste 1

P.11.   ALI BABA ET LES QUARANTE VOLEURS CD1/Piste 2

P.19.   ALICE AU PAYS DES MERVEILLES CD1/Piste 3

P.27.   BLANCHE NEIGE ET LES SEPT NAINS CD1/Piste 4

P.35.   BOUCLE D'OR ET LES TROIS OURS CD1/Piste 5

P.43.   CENDRILLON CD1/Piste 6

P.51.   HANSEL ET GRETEL CD1/Piste 7

P.59.   JACK ET LE HARICOT MAGIQUE CD1/Piste 8

P.67.   LA BELLE AU BOIS DORMANT CD1/Piste 9

P.75.   LA PETITE SIRÈNE CD1/Piste 10

P.83.   LE CHAT BOTTÉ CD1/Piste 11

P.91.   LE JOUEUR DE FLÛTE DE HAMELIN CD1/Piste 12

P.99.   LE LIVRE DE LA JUNGLE CD2/Piste 1

P.107. LE LOUP ET LES SEPT CHEVREAUX CD2/Piste 2

P.115. LE PETIT CHAPERON ROUGE CD2/Piste 3

P.123. LE VAILLANT PETIT TAILLEUR CD2/Piste 4

P.131. LE VILAIN PETIT CANARD CD2/Piste 5

P.139. LES HABITS NEUFS DE L'EMPEREUR CD2/Piste 6

P.147. LES TROIS PETITS COCHONS CD2/Piste 7

P.155. LES VOYAGES DE GULLIVER CD2/Piste 8

P.163. PETER PAN CD2/Piste 9

P.171. PINOCCHIO CD2/Piste 10

P.179. RAIPONCE CD2/Piste 11

P.187. TOM POUCE CD2/Piste 12

ALADIN
ET LA LAMPE MAGIQUE

Il était une fois un jeune garçon prénommé Aladin.
Il vivait avec sa mère et ils étaient très pauvres.
Un jour, un marchand demanda au jeune garçon d'aller lui chercher
la lampe à huile qu'il avait oubliée dans une grotte.
L'entrée était si étroite qu'elle ne laissait passer qu'un enfant.
Le marchand promit à Aladin une pièce d'argent en échange de ce service.

Aladin se faufila à l'intérieur de la grotte et aperçut une lampe posée à côté d'un tas de pièces d'or et de pierres précieuses.

- Donne-moi la lampe avant de sortir ! lui dit l'homme d'une voix menaçante.

Craignant que l'homme ne l'enferme dans la grotte, Aladin refusa.

- Laisse-moi sortir d'abord !

L'homme ricana et ferma l'entrée de la grotte avec une grosse pierre.

En poussant la pierre, l'homme laissa tomber un anneau.

Aladin le ramassa et le mit à son doigt.

Lorsqu'il souleva la lampe à huile, une silhouette souriante apparut :

- Je suis le Génie de la lampe. Je peux exaucer trois de tes vœux. Que souhaites-tu mon garçon ?

- Retourner chez moi ! s'exclama aussitôt Aladin.

Une fraction de seconde plus tard, il se retrouva dans les bras de sa mère.

4

Le jeune garçon raconta son histoire à sa mère et ils décidèrent
de garder les deux derniers vœux pour le jour où ils en auraient vraiment besoin.

Les années passèrent. Un jour, Aladin croisa le regard de la princesse Jasmine,
la fille du sultan. Certain d'avoir rencontré la femme de sa vie,
il décida de demander au sultan la main de sa fille.

Aladin alla chercher la lampe magique,
la frotta et demanda au génie
un coffre rempli d'or et de bijoux
pour les offrir au sultan.

Le sultan resta ébahi devant le cadeau d'Aladin.

Afin d'être sûr de la richesse du jeune homme,
il lui demanda de lui apporter quarante chevaux pur-sang
chargés chacun d'un coffre rempli de pierres précieuses,
ainsi qu'un cortège de guerriers pour les garder.

Aladin rentra chez lui, fit son troisième vœu
et reprit aussitôt le chemin du palais avec ses trésors.

Le mariage fut célébré le mois suivant.

Jasmine et Aladin
vivaient très heureux
dans un palais
près de celui du sultan.

Un jour,
alors qu'Aladin était en voyage,
la princesse entendit un marchand :
- Échange vieilles lampes à huile
contre des neuves !

Jasmine, qui ne connaissait pas
l'histoire de la lampe magique,
lui donna ce qu'elle croyait être
une vieille lampe.

Le marchand, qui était l'homme
qui avait enfermé Aladin,
avait parcouru tout le pays
pour retrouver sa lampe magique.

Il la reconnut, la frotta
et demanda au Génie de la lampe
de les transporter, Jasmine, lui
et le palais, très loin de là.

Lorsqu'Aladin revint en ville,
Jasmine et le palais avaient disparu.

Désespéré, Aladin frotta l'anneau qu'il portait
toujours et demanda de l'aide au petit Génie
qui venait d'apparaître.

- Je n'ai pas les pouvoirs du Génie de la lampe,
dit-il. La seule chose que je peux faire,
c'est de te conduire là où se trouve Jasmine.

En moins d'une seconde, Aladin se retrouva
face au palais. Il s'y faufila et délivra Jasmine.

Le vilain marchand risquait d'arriver à tout moment. Ils devaient s'enfuir au plus vite.

En prenant la main d'Aladin, Jasmine frotta l'anneau et le petit Génie apparut :

- Petit Génie, aide-nous à nous enfuir, lui demanda Aladin.

- Je ne peux rien faire sans la lampe magique, répondit le petit Génie.

Aladin rapporta la lampe en quelques secondes et Jasmine la frotta.

- Heureux de te voir Aladin ! dit le Génie de la lampe.
Comme tu n'as jamais abusé de mes pouvoirs, je t'offre un nouveau vœu !

En un clin d'œil, les amoureux s'envolèrent
dans les bras du Génie de la lampe
et tous, ainsi que le palais,
regagnèrent la ville du sultan.

Ils cachèrent la lampe magique dans leur palais
et décidèrent de ne faire appel à son Génie qu'en cas d'absolue nécessité.

FIN

ALI BABA
ET LES QUARANTE VOLEURS

Il était une fois un homme très travailleur, mais très pauvre, qui s'appelait Ali Baba.
Son frère Kassim, au contraire, était paresseux, mais très riche.

Un jour, Ali Baba surprit quarante cavaliers face à un énorme rocher.
- Sésame, ouvre-toi ! cria leur chef. Et le rocher s'ouvrit.
Quand ils furent tous entrés dans la caverne, leur chef cria :
- Sésame, ferme-toi !
- Une formule magique ! se dit Ali Baba.

Ali Baba attendit que les cavaliers soient partis, puis il s'approcha du rocher et s'exclama :
- Sésame, ouvre-toi ! Le rocher s'ouvrit.

Intrigué par la luminosité qui venait de l'intérieur de la caverne, Ali Baba entra. Devant lui se dressait une montagne de bijoux, de pièces d'or et de pierres précieuses. Ce butin amassé par les voleurs représentait sans doute le plus grand trésor au monde.

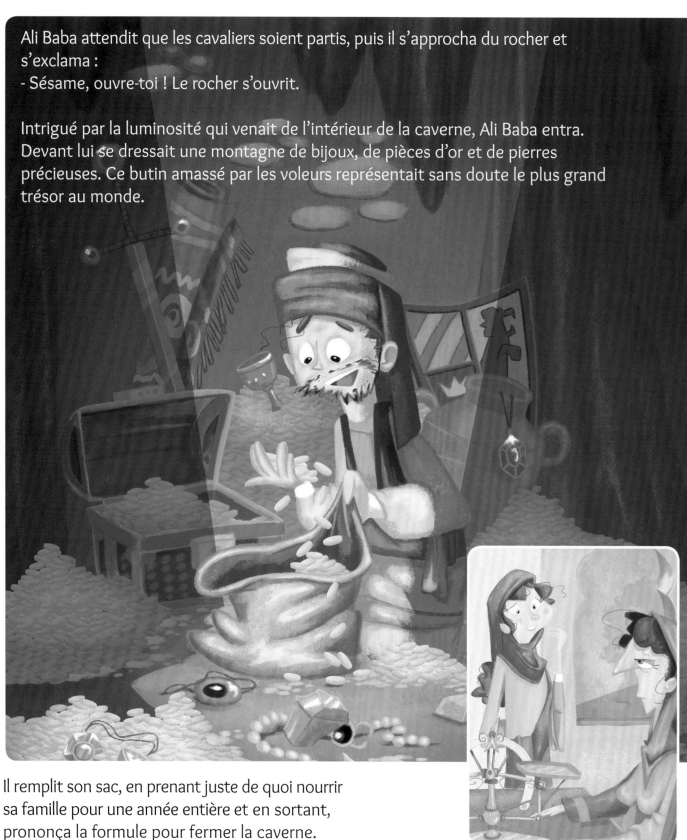

Il remplit son sac, en prenant juste de quoi nourrir sa famille pour une année entière et en sortant, prononça la formule pour fermer la caverne.
Il rentra chez lui et raconta toute l'histoire à sa femme, Khadija.

Le lendemain, Khadija décida de peser leur trésor et demanda à la femme de Kassim de lui prêter une balance. Mais lorsqu'elle rendit la balance, elle oublia un minuscule rubis sur le plateau.

Kassim, qui savait que son frère ne possédait aucune richesse, alla lui demander des explications. Ali Baba lui raconta ce qu'il avait vu.

Avide d'argent, Kassim se rendit à la caverne et chargea tout le trésor dans des sacs. Mais, au moment de partir, il lui fut impossible de se souvenir de la formule magique !

Le rocher finit par s'ouvrir car le chef des bandits venait de prononcer la bonne formule. Furieux de découvrir Kassim à l'intérieur de leur caverne, le chef lui lança des poussières magiques qui le transformèrent en statue.

Le soir venu, ne voyant pas son frère rentrer, Ali Baba comprit vite où il était...
Il se rendit à la caverne et trouva Kassim pétrifié au milieu de l'or et des pierres précieuses. Il le mit sur son épaule et, en pleurant, le ramena chez lui pour l'enterrer.

- Qu'allons-nous dire aux voisins ? demanda Ali Baba à sa femme. Si nous racontons ce qui s'est passé, les voleurs nous trouveront et nous finirons tous comme lui !

- En voyant cette statue, personne ne croira que c'est une mort naturelle, répondit Khadija. Attends ! J'ai une idée !

Elle alla voir un voisin qui était peintre.

- Pourrais-tu donner l'apparence d'un être humain
à une statue de pierre en échange d'une pièce d'or ?
Je te donne une deuxième pièce d'or si tu me laisses te bander les yeux, lui dit-elle.
Tu ne dois pas savoir où je t'emmène.

14

De retour à la caverne, le chef des bandits, de plus en plus furieux, ordonna
qu'on retrouve celui qui avait emporté la statue et qui connaissait donc leur secret.

Un des voleurs questionna le peintre qui, terrorisé, raconta tout ce qu'il savait.
Le peintre ferma les yeux pour mieux se rappeler le chemin emprunté,
et finit par s'arrêter devant la maison d'Ali Baba.

- Je vais faire une croix sur la porte, dit le bandit.
Et cette nuit, nous reviendrons...

Khadija, qui avait tout vu, dessina une croix
sur toutes les portes du village.
Aussi lorsque les bandits revinrent,
il leur fut impossible
de retrouver la maison.

Le jour suivant, le chef des voleurs
ordonna au peintre de lui montrer
à nouveau la maison d'Ali Baba.
Il repéra la maison
et expliqua son plan à ses compères :

- Je vais me faire passer pour un marchand d'huile
et vous allez vous cacher dans les jarres
jusqu'au moment où je vous dirai de sortir.

Le soir venu, déguisé en marchand d'huile,
le chef des voleurs demanda l'hospitalité à Ali Baba.
Il entreposa dans la cour de sa maison
les quarante jarres d'huile qu'il transportait.

Khadija décida de prendre un peu d'huile
en échange de l'hospitalité offerte.
Elle souleva le couvercle d'une des jarres
et découvrit un des voleurs !
Elle l'assomma d'un grand coup
de louche, fit de même
pour toutes les jarres,
puis assomma également
le faux marchand.

Alerté par le vacarme, Ali Baba arriva aussitôt.
Il attacha le chef des voleurs avec des cordes.
Quelques voleurs avaient réussi à s'enfuir,
mais les voisins, alertés par le bruit, les rattrapèrent très vite.

Ali Baba se rendit au palais avec ses prisonniers.
Il raconta l'histoire du marchand d'huile au Roi.

- Ne lui parle pas du trésor de la caverne, lui avait recommandé Khadija.
Il le prendrait pour lui, alors qu'il est déjà bien assez riche !

Les voleurs furent envoyés en prison
et le Roi offrit une récompense à Ali Baba.

Le gentil Ali Baba décida de partager
le trésor avec ses voisins,
qui méritaient bien plus que quiconque
d'en profiter !

FIN

ALICE
AU PAYS DES MERVEILLES

Alice était assise au bord de la rivière,
à côté de sa sœur, lorsqu'elle vit passer
un lapin avec un chapeau et des gants blancs.

Il semblait très préoccupé.

- Mon Dieu ! Je suis en retard !
La Reine va se mettre en colère,
elle attend son éventail ! disait-il en râlant.

Alice, très curieuse, se lança à la poursuite du lapin et le suivit à l'intérieur d'un tronc d'arbre.

Elle arriva dans une grande pièce toute ronde. Un miroir recouvrait la porte
et d'immenses fenêtres laissaient entrevoir un jardin. Au centre de la pièce,
il y avait une table ronde, et dessus, une clef en or, une bouteille et une tarte au chocolat.

Alice, assoiffée par sa course, prit la bouteille et la but d'un trait.

Très vite, elle se mit à grandir, grandir... La table paraissait maintenant toute petite
et Alice ne voyait plus que le reflet d'une étincelle dorée. C'était la clef !

Elle tendit la main jusqu'à frôler la clef et tout son corps reprit alors sa taille initiale.

Alice mangea la tarte et se mit à devenir petite, de plus en plus petite...

Si petite qu'elle ne pouvait plus attraper la clef !

Des larmes commençaient à couler sur ses joues, quand elle entendit une voix connue.

- Où as-tu laissé l'éventail, petite ? dit le lapin.

- Quel éventail ? protesta Alice.

Le lapin attrapa la clef en or
qui se transforma en un magnifique éventail.

Il prit Alice par la main et lui fit signe de le suivre.

Alice vit le lapin entrer dans son propre reflet
dans le miroir, et traverser la porte.
Elle fit de même.

Ils se retrouvèrent dans le jardin et tombèrent nez à nez avec une joyeuse troupe d'amis qui leur proposèrent de faire une course... en rond !

Ils tournaient tous dans le même sens et chacun abandonnait ou reprenait la course quand il le voulait.

Mais soudain, le lapin se rappela que la Reine attendait son éventail.

Il partit et Alice le suivit avec l'éventail dans les mains, car le lapin l'avait oublié à l'entrée du jardin.

Le lapin s'arrêta près d'une fontaine. Il plongea dans son reflet et traversa l'eau. Alice fit de même.

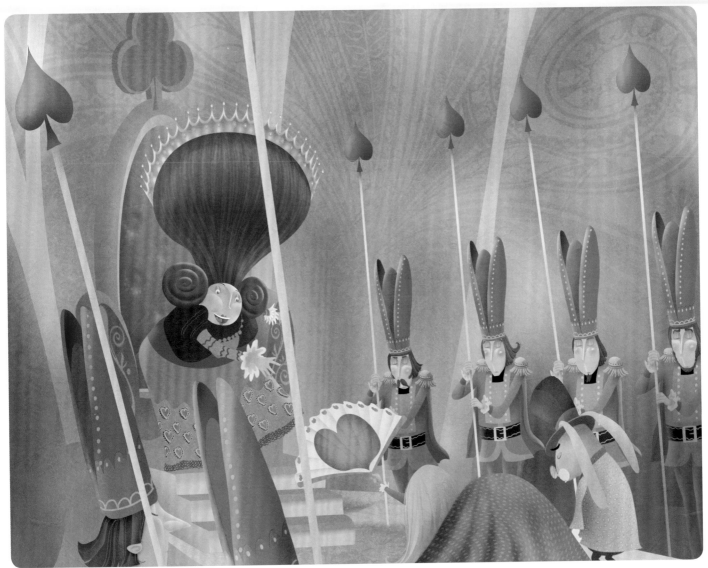

Ils arrivèrent dans une grande pièce où se trouvait la plus belle des cartes du jeu :
la Reine de Cœur... qui attendait son éventail !

Le lapin ne le trouvait plus. Alice s'avança, fit une révérence et le tendit à la Reine.

- Merci beaucoup, petite, dit la Reine, mais qui es-tu ?

- Je suis Alice. Je ne sais pas comment je suis arrivée ici, ni où je suis !

- Tu es au Pays des Merveilles, dit la Reine. Et monsieur Lapin est mon premier ministre.
Mais d'abord, tu dois être récompensée pour m'avoir apporté ce que j'ai demandé.

La Reine claqua des doigts et des serveurs
bien étranges apparurent.
C'était toutes les cartes du jeu : un as de
pique, un sept de carreau, un valet de trèfle...
qui portaient des plateaux remplis de friandises
et de rafraîchissements !

Les amis du jardin étaient là aussi,
et ils faisaient tous un joyeux vacarme.

23

D'un seul mouvement d'éventail, la Reine imposa le silence.

En l'honneur d'Alice, elle ordonna à chacun de faire ce qu'il aimait le plus.

Le crapaud sautait en faisant « coulou, coulou », la tortue faisait des petits pas lents, le papillon dansait dans les airs... sous les yeux ébahis d'Alice.

- Et toi, le lapin, tu ne fais rien d'autre que porter un chapeau et des gants blancs ? se moqua Alice.

Le lapin se fâcha et dit :

- Et toi, petite, tu sais seulement manger des tartes ?

- Ma tarte ? Mais où est ma tarte ?

La Reine de Cœur ordonna
que l'on amène Alice devant les juges
pour la punir d'avoir mangé sa tarte.

Alice se retrouva dans un tribunal présidé par la Reine,
entourée d'animaux et de cartes qui se jetèrent sur elle, tous très fâchés.

Alice sentit que ses paupières
se fermaient et elle commença à s'élever dans les airs.

Quand elle ouvrit les yeux, sa sœur la secouait :

- Tu t'es endormie ! Il est tard et on nous attend à la maison !

Alice se frotta les yeux. « Où étais-je ? » Elle regarda le vieil arbre et
au pied du tronc creux, elle vit voleter un papillon.

Elle referma les yeux un court instant
et se promit de retourner un jour au Pays des Merveilles.

FIN

BLANCHE NEIGE
ET LES SEPT NAINS

Il était une fois une très jolie petite princesse. Elle avait le visage blanc comme la neige, les lèvres rouges comme le sang et une longue chevelure noire.
On l'appelait Blanche Neige.

Sa mère était morte et son père s'était remarié. Mais la nouvelle Reine, qui était jalouse de la beauté de Blanche Neige, la détestait en secret.

Chaque jour, elle demandait à son miroir magique :

- Miroir, mon beau miroir, qui est la plus belle femme du royaume ?

Et le miroir répondait toujours :

- Majesté, vous êtes très belle, mais la plus belle femme du royaume est sans aucun doute Blanche Neige.

Alors la Reine ordonna à un chasseur d'emmener Blanche Neige dans la forêt et de la tuer. Lorsqu'ils furent loin du château, le chasseur avoua la vérité à la jeune fille et la supplia de s'enfuir le plus loin possible.

Blanche Neige marcha toute la journée dans la forêt. Elle était terrorisée par les cris des animaux et la nuit qui commençait à tomber, quand elle aperçut une jolie petite chaumière au milieu d'une clairière.

Elle frappa, mais personne ne répondit. Elle décida d'entrer.

Tout dans cette maison était minuscule. Sept petits tabourets entouraient la table, sept petits bols étaient bien rangés sur l'étagère et sept petits lits étaient alignés. Comme elle était très fatiguée, Blanche Neige s'allongea et s'endormit.

Le soir venu, les propriétaires regagnèrent leur maison.

C'était sept nains qui travaillaient à la mine de diamants de l'autre côté de la montagne.

- Qui est cette jeune fille ? chuchotèrent-ils en contemplant Blanche Neige endormie.

Blanche Neige se réveilla et sursauta.

- Nous sommes les nains de la forêt et nous habitons ici.
Tu n'as pas à avoir peur de nous, dirent-ils pour la rassurer.

La princesse leur raconta sa triste histoire.

- Tu peux rester dans notre maison,
proposa un des nains.

- Nous te protégerons ! dit un autre.

Les jours passèrent et Blanche Neige
était très heureuse avec ses nouveaux amis.

Chaque matin, elle embrassait un à un
les sept nains qui partaient travailler.

Dans la journée, elle s'occupait de la maison,
et le soir, elle retrouvait ses amis.

Un jour, au château, la Reine interrogea à nouveau son miroir magique.

- Blanche Neige, qui habite chez les sept nains dans la forêt,
est toujours la plus belle femme du royaume, lui répondit-il.

Furieuse, la Reine brisa le miroir. Elle empoisonna une pomme, se déguisa en vieille femme
et partit vers la maison des sept nains.

Blanche Neige était seule dans la maison
lorsqu'une vieille femme frappa à la porte.
La voyant si faible, la jeune fille l'invita à entrer.

- Merci beaucoup, chère petite, dit la femme.
Accepte cette pomme
en remerciement de ta gentillesse.

Blanche Neige croqua dans le fruit
et s'effondra au sol, comme morte.

Le soir,
quand les sept nains rentrèrent de la mine,
ils trouvèrent Blanche Neige gisant sur le sol.

Les sept nains veillèrent leur amie pendant plusieurs jours.

Ils étaient inconsolables et ne pouvaient se résoudre à l'enterrer.

Ils décidèrent de mettre Blanche Neige dans un cercueil de verre
et de la porter au sommet de la montagne, afin qu'elle soit toujours près d'eux.

Un jour, un prince
vint à passer par là.

Il demanda aux sept nains
qui était
cette magnifique
jeune fille
dans ce cercueil
et ils lui racontèrent
la triste histoire de Blanche Neige.

Captivé par la beauté de Blanche Neige, le prince souleva le couvercle du cercueil et posa un baiser sur la joue de la jeune femme qui se réveilla aussitôt !

Les sept nains, fous de joie, dansaient de bonheur,
alors que Blanche Neige et le prince ne se quittaient pas des yeux.

Ils se marièrent quelques jours plus tard. Les sept nains furent les invités d'honneur et ce fut une fête magnifique, qui dura une semaine.

Blanche Neige et le prince vécurent très heureux,
et on n'entendit plus jamais parler de la méchante Reine.

FIN

BOUCLE D'OR ET LES TROIS OURS

Il était une fois une petite fille très curieuse qui vivait avec ses parents dans une petite maison à la lisière de la forêt. Ses cheveux étaient blonds comme les blés avec de magnifiques boucles dorées, si bien que tout le monde l'appelait Boucle d'Or.

Ses parents lui avaient interdit
d'aller dans la forêt.
Mais un jour, l'envie fut si forte
que Boucle d'Or y fit un pas,
puis deux, puis trois...
jusqu'à ne plus voir
que des arbres autour d'elle.

Au coucher du soleil, Boucle d'Or voulut rentrer chez elle, mais elle réalisa qu'elle était perdue ! Tous les arbres se ressemblaient et elle avait l'impression de tourner en rond. Soudain, elle aperçut une jolie maison dans une clairière.

- Il y a quelqu'un ? appela Boucle d'Or.

Personne ne répondit. Elle s'approcha de la porte, vit qu'elle était entrouverte et décida d'entrer.

Dans la cuisine, trois bols de lait chaud attendaient sur la table :
un grand, un moyen et un petit.

Boucle d'Or, qui était affamée,
voulut boire dans le plus grand bol,
mais c'était bien trop chaud.
Elle essaya le deuxième bol,
mais c'était encore trop chaud.
Elle saisit le plus petit bol
et c'était parfait !
Elle avala tout le lait au miel
d'une seule gorgée.

Dans le salon, elle vit trois chaises :
une grande, une moyenne et une petite.
Comme elle était fatiguée,
elle décida de s'asseoir.
Elle essaya la première chaise
qui était bien trop grande, puis la seconde,
qui était encore trop grande.
Elle s'élança sur la troisième chaise
qui semblait à sa taille, mais patatras !
Elle la renversa et la cassa.

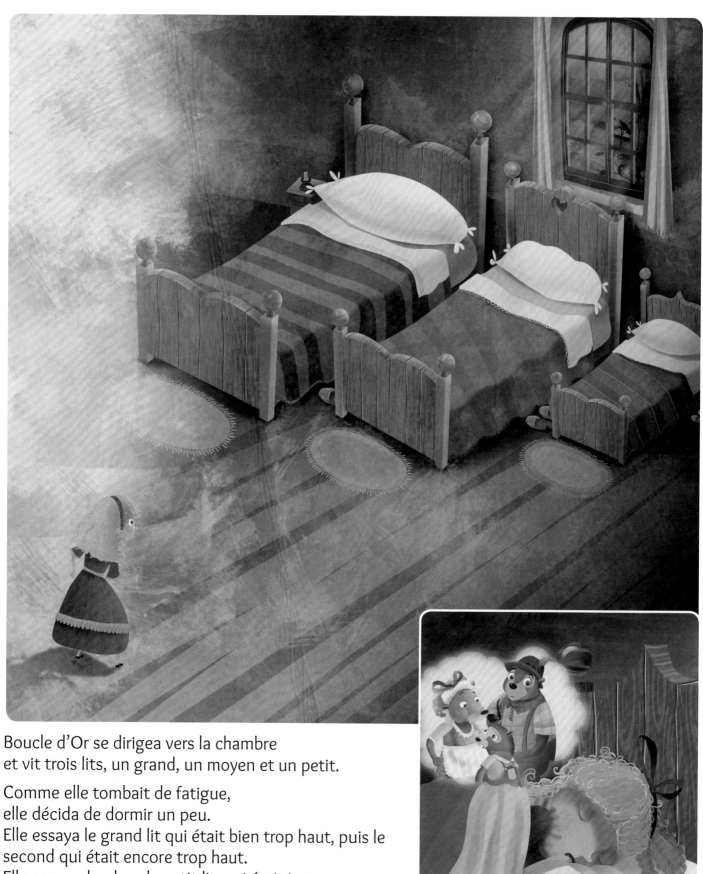

Boucle d'Or se dirigea vers la chambre
et vit trois lits, un grand, un moyen et un petit.

Comme elle tombait de fatigue,
elle décida de dormir un peu.
Elle essaya le grand lit qui était bien trop haut, puis le
second qui était encore trop haut.
Elle se coucha dans le petit lit, qui était juste
à sa taille, et plongea dans un profond sommeil.

Dans son rêve, Boucle d'Or vit trois ours entrer dans la
jolie maison.
Un grand ours, un ours moyen et un petit ours.

Au même instant, elle entendit un bruit et se réveilla.

Trois ours venaient d'entrer dans la maison, comme dans son rêve.

Les ours s'aperçurent très vite que quelqu'un avait goûté leur lait.
Et le petit ours dit en pleurant :

- Quelqu'un a bu mon lait !

Boucle d'Or, cachée derrière une armoire, observa les trois ours entrer dans le salon.

- Quelqu'un s'est assis sur ma chaise et l'a cassée ! dit le petit ours en pleurant.

Boucle d'Or entendit les ours entrer dans la chambre.

- Quelqu'un a dormi dans mon lit ! dit le petit ours en pleurant de plus en plus fort.

Vite ! Boucle d'Or s'échappa par une fenêtre ouverte et s'enfuit en courant.

39

Mais les trois ours,
qui connaissaient très bien la forêt,
ne tardèrent pas à la rattraper.

- Qui es-tu ? grogna papa ours. Que fais-tu par ici ?

- Est-ce toi qui es venue dans notre maison ? demanda maman ourse, fâchée.

Boucle d'Or, effrayée, s'effondra en larmes.

40

Papa ours grogna encore un peu, puis finit par se taire. Maman ourse sourit,
et petit ours fit un clin d'œil à Boucle d'Or.

- Qui es-tu ? Que fais-tu là ? lui demanda-t-il.

Boucle d'Or raconta son aventure, avoua aussi ses bêtises, et les trois ours décidèrent
de la ramener chez elle.

Quand les parents de Boucle d'Or virent arriver leur fille accompagnée de trois ours, son papa courut chercher son fusil, mais Boucle d'Or cria :

- Ce sont mes amis !

Ils firent ainsi connaissance, et puisqu'ils étaient voisins, décidèrent de devenir amis.

Dans chaque maison, on acheta trois bols, trois chaises et trois lits supplémentaires pour que personne ne manque ni de lait, ni d'une chaise pour se reposer, pas même d'un lit pour faire les plus beaux rêves !

FIN

CENDRILLON

Il était une fois une jeune fille très belle et très gentille.
Sa mère était morte et son père travaillait souvent loin de la maison.

Un jour, il annonça à sa fille qu'il avait décidé de se remarier avec une femme
qui avait deux filles. Ainsi, elle ne serait plus seule à la maison.
Malheureusement, le père mourut peu de temps après.

La belle-mère et ses filles étaient très méchantes avec la jeune fille.
Elles l'obligeaient à tout nettoyer dans la maison et à vider tous les
jours les cendres de toutes les cheminées.
La pauvre jeune fille était couverte de cendres du matin au soir,
si bien que les trois méchantes femmes la surnommèrent Cendrillon.

43

Un jour, le Roi décida que son fils était en âge de se marier.
Il décida d'organiser une grande fête au palais et d'inviter toutes les jeunes filles du royaume.

Ses messagers parcoururent les villes et les villages pour annoncer le bal.

En apprenant la nouvelle,
la marâtre ordonna à ses filles
d'aller préparer leurs plus belles tenues.

Se tournant vers Cendrillon, elle ricana :

- Toi, tu ne peux pas y aller,
tu n'as aucune robe de bal !

Le jour du bal arriva enfin
et lorsque Cendrillon se retrouva seule,
elle se mit à pleurer.

Soudain, un éclat lumineux apparut
entre les flammes dans la cheminée.

- Ne t'inquiète pas, Cendrillon ! dit une voix.
Je suis ta marraine, la fée.
Toi aussi tu auras une belle robe pour aller au bal.

D'un coup de baguette magique,
Cendrillon se retrouva vêtue d'une robe splendide,
un diadème de pierres précieuses ornait ses cheveux,
et de superbes souliers de vair chaussaient ses pieds très fins.

Un second coup de baguette magique, et voilà que surgit un superbe carrosse
tiré par de magnifiques chevaux !

- Vite, au bal ! dit la fée. Et rappelle-toi : la magie cessera au douzième coup de minuit !

46

- Mais qui est cette magnifique jeune fille ?
demandaient tous les invités.

Le prince l'invita aussitôt à danser.

Captivé par la beauté et la gentillesse
de la jeune fille, il ne la quitta pas de la soirée
et ils dansèrent ensemble durant tout le bal.

Quand l'horloge sonna le premier coup de minuit,
Cendrillon sursauta et s'enfuit en courant.
Elle descendit les marches du palais en un éclair
et perdit un soulier dans sa course !

En s'engouffrant dans le carrosse, elle se retourna
et aperçut le prince au bas des marches
qui serrait contre lui le soulier de vair.

47

Dès le lendemain,
le Roi ordonna de retrouver la mystérieuse inconnue.

- La jeune fille qui parviendra à chausser ce soulier si étroit
épousera le prince,
annoncèrent les messagers du Roi.

- L'une de vous devra chausser ce soulier, quand bien même vous devriez vous couper un orteil ! dit la marâtre à ses deux filles.

Malgré tous leurs efforts pour y parvenir, le soulier ne leur allait pas.

Quand fut venu le tour de Cendrillon,
le soulier chaussa parfaitement son pied si fin.
Tous étaient surpris,
sauf le prince qui l'avait déjà reconnue.

Un bal fut donné pour leur mariage, et cette fois,
aucune horloge n'interrompit leur valse !

FIN

HANSEL ET GRETEL

Il était une fois un couple de bûcherons très pauvres qui avaient deux enfants :
Hansel, le garçon et Gretel, la fille.
Les deux parents étaient désespérés car il ne leur restait plus rien à manger.
En secret, les enfants décidèrent d'aller chercher de la nourriture dans la forêt.

À peine s'étaient-ils enfoncés au milieu des arbres et des buissons,
que Gretel dit à Hansel :

- J'ai peur. Nous ne connaissons pas la forêt et nous ne retrouverons jamais
notre chemin pour rentrer.

Mais Hansel, qui avait tout
prévu, jetait une miette de pain tous les
deux ou trois pas, afin de marquer leur chemin.

À la tombée de la nuit, ils n'avaient toujours
rien trouvé à manger. Ils décidèrent de rentrer
et de revenir le lendemain,
mais impossible de retrouver le chemin :
les oiseaux avaient mangé toutes les miettes !

Hansel aperçut un gros terrier dans lequel ils pourraient se cacher pour la nuit.

- Soyez les bienvenus chez moi, leur dit un écureuil. Laissez-moi vous offrir mes provisions.

Le lendemain, chargés de pignons de pin et de noix, Hansel et Gretel reprirent le chemin de la maison. Mais ils ne savaient toujours pas dans quelle direction aller.

Épuisés et inquiets, ils finirent par rencontrer une souris très laide, qui leur proposa de les guider.

Les enfants arrivèrent devant une maison comme ils n'en n'avaient jamais vue : les portes étaient en chocolat, les murs en nougat...

- Cette maison appartient à la fée de la forêt, dit la souris. Elle vous offrira tout ce qui vous fait plaisir.

À peine étaient-ils entrés,
que la souris claqua la porte derrière eux et la ferma à double tour.

Soudain, apparut une femme horrible avec un long nez
couvert de poils.

- Tu es la fée de la forêt ? demandèrent les enfants.

- Pauvres imbéciles, se moqua la femme. Je suis la sorcière de la forêt !
Toi le garçon, je vais t'engraisser pour te manger, et toi la fille,
tu feras les corvées de la maison ! leur dit-elle en ricanant.

Elle enferma Hansel dans une cage, puis jeta un seau et un chiffon à Gretel.

Comme elle était très myope, elle demandait tous les matins à Hansel de lui tendre son petit doigt pour vérifier s'il avait grossi.

Pendant plusieurs jours, Hansel réussit à la tromper en lui tendant un os de poulet à la place de son doigt.

La sorcière n'y comprenait rien : il ne prenait pas un gramme !

Un matin, furieuse, la sorcière décida de manger Hansel tel qu'il était.

Elle demanda à Gretel d'allumer le four et la fillette comprit que la sorcière allait les manger.

- Montrez-moi comment faire, madame ! dit Gretel.

La sorcière craqua une allumette, s'approcha du four et se pencha à l'intérieur.

Gretel la poussa dans le four et ferma aussitôt la porte.

Elle libéra son frère et ils s'enfuirent de la maison.

Ils entendirent soudain une explosion et virent la sorcière projetée dans les airs par la cheminée.

- Vite ! Il faut que nous retrouvions le chemin de la maison,
dit Hansel.

- Moi, je vais vous y conduire,
fit alors une petite voix.

Les pouvoirs magiques de la sorcière avaient cessé
et l'horrible souris était redevenue un magnifique et gentil héron.
Il les conduisit par un petit chemin au détour duquel ils rencontrèrent un vieil ami.

- Bienvenue ! leur dit l'écureuil. J'ai un cadeau pour vous.
La sorcière avait caché ceci dans mon arbre, dit-il, en ouvrant un coffre rempli de pièces d'or
et de pierres précieuses.

Accompagnés de leurs deux amis, Hansel et Gretel arrivèrent rapidement chez leurs parents. Ils s'embrassèrent et ils étaient tellement heureux de se retrouver qu'ils dansèrent de joie.

En voyant le trésor, les parents s'exclamèrent :

- Plus jamais nous ne serons pauvres !

- En réalité, vous ne l'avez jamais été, leur dit le héron. L'amour de vos enfants est votre plus beau trésor.

Depuis, les enfants entendent parfois chuchoter près de leur fenêtre. C'est le héron et l'écureuil qui viennent leur rendre visite.

FIN

JACK
ET LE HARICOT MAGIQUE

Il était une fois un jeune garçon prénommé Jack, qui vivait avec sa mère dans une vieille maison.

Ils étaient très pauvres et le bien le plus précieux qu'ils possédaient était une vache laitière.

Un jour, la mère dit à son fils :

- Emmène la vache au marché et vends-la. Avec l'argent, nous pourrons manger cet hiver.

Jack partit avec la vache et croisa un bûcheron en chemin.

- Prends ces haricots. Je te les échange contre ta vache, lui dit l'homme.

Jack se laissa convaincre et rentra chez lui avec les haricots.

Il raconta à sa mère sa rencontre avec le bûcheron et lui remit les haricots.

Sa mère était furieuse !

- Comment as-tu pu échanger notre vache contre une poignée de haricots ? cria-t-elle en jetant les haricots par la fenêtre.

Une petite pluie fine tomba durant toute la nuit.
Au matin, en regardant par la fenêtre, Jack vit que ses haricots avaient poussé, tellement poussé qu'ils s'étaient transformés en un énorme buisson.

Jack sortit de la maison et s'approcha du buisson.
Il grimpa sur une branche, puis sur une autre,
les haricots continuaient de pousser
et formaient comme une grande échelle.
Jack atteignit la cime et découvrit un immense château.

À l'entrée, un homme l'attendait.

- Bonjour Jack, bienvenue chez moi !

Face à lui se tenait le bûcheron... devenu un géant !

- S'il te plaît, rends-moi ma vache ! dit Jack.
Tu m'as roulé !

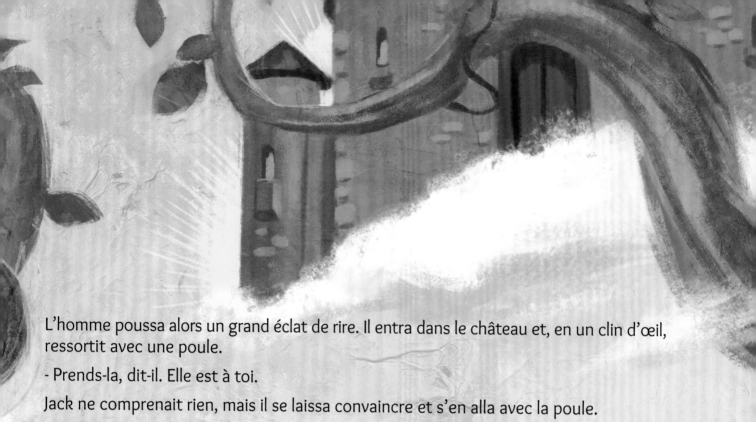

L'homme poussa alors un grand éclat de rire. Il entra dans le château et, en un clin d'œil, ressortit avec une poule.

- Prends-la, dit-il. Elle est à toi.

Jack ne comprenait rien, mais il se laissa convaincre et s'en alla avec la poule.

Lorsque sa mère le vit rentrer
avec la poule, elle fut ravie.
Et quelle surprise,
quand soudain un bruit
se fit entendre sur la table.

- Un œuf !
s'écrièrent Jack et sa mère.

C'était bien un œuf,
mais un œuf... en or !

Cette poule changea
la vie de Jack
et de sa mère.
Grâce aux œufs
qu'elle pondait,
ils eurent de quoi
subvenir à leurs besoins
pendant longtemps.

Mais un jour, la poule cessa de pondre.

- Jack, dit sa mère. La poule est vieille maintenant. Emporte-la au marché et vends-la.

Jack venait de partir lorsqu'il croisa le bûcheron.
Il avait retrouvé l'apparence d'un homme ordinaire et portait un fagot de bois.

- Bonjour Jack, dit l'homme. Où vas-tu avec cette poule ?

Jack lui raconta toute l'histoire.

- Je te propose d'échanger la poule contre ce fagot,
dit le bûcheron.

Jack hésita un instant et accepta.

Jack vit sa mère désespérée lorsqu'il rentra avec le fagot de bois.

- À quoi bon faire du feu si nous n'avons rien à cuisiner ?

- Faisons-le flamber, au moins nous n'aurons pas froid, répondit Jack.

Les flammes commencèrent à grossir et illuminèrent la maison.
Des étincelles jaillissaient de la cheminée,
s'envolaient et retombaient au sol
dans un bruit métallique.

- Des pièces d'or !
s'exclamèrent-ils.

Grâce à ces pièces d'or,
Jack et sa mère purent manger
et se vêtir pendant longtemps.

Une nuit, Jack retourna
au pied des haricots magiques
et grimpa jusqu'au château.

Le bûcheron était là, à nouveau
sous les traits d'un géant.

- Comment se fait-il que tu sois à nouveau un géant, qu'une vache habite dans un château suspendu dans les airs, et qu'une poule ponde des œufs en or ? lui demanda Jack.

- C'est très simple Jack, dit l'homme. Ceci est un conte. Et les contes ressemblent beaucoup aux rêves : tout peut arriver.

C'est à cet instant que Jack se réveilla. Il sentit quelque chose dans la poche de son pyjama.

- Des haricots ! s'exclama-t-il. Comment sont-ils arrivés là ?

Il se rappela alors son rêve et les paroles du bûcheron : « Les contes ressemblent beaucoup aux rêves : tout peut arriver ».

Puis il se rendormit en souriant.

FIN

LA BELLE AU BOIS DORMANT

Dans un pays lointain naquit une magnifique petite princesse.
Le Roi et la Reine organisèrent une grande fête pour sa naissance.
Trois bonnes fées, choisies comme marraines, offrirent chacune un don extraordinaire
à la petite princesse.

À la fin du dîner donné pour son baptême, une horrible fée fit irruption au château dans un grondement de tonnerre. Vexée de ne pas avoir été invitée, elle jeta un terrible sort à la petite princesse :

- Le jour de tes quinze ans, tu te piqueras le doigt avec une aiguille et tu en mourras ! dit la méchante fée en disparaissant dans un tourbillon aussi sombre que son âme.

Une des gentilles fées s'approcha du berceau :
- Je ne peux pas annuler ce sort, mais je peux l'alléger.
La princesse se piquera avec une aiguille, mais elle ne mourra pas.
Elle plongera dans un long et profond sommeil qui durera cent ans,
au bout desquels un prince charmant la réveillera.

Accablé par le chagrin, le Roi ordonna que l'on brûle immédiatement toutes les aiguilles du royaume.

Quinze années s'écoulèrent et on oublia la malédiction.
Comme l'avaient prédit les bonnes fées,
la princesse était devenue une très belle jeune fille aimée de tous.

Le jour de ses quinze ans, la princesse reçut une étrange visite.
Une femme très aimable entra dans sa chambre et lui dit :

- Votre altesse, j'aimerais vous faire un cadeau
pour votre anniversaire, accompagnez-moi.

La femme conduisit la princesse
dans un petit grenier, tout en haut d'une tour.
Une vieille femme, qui n'avait sans doute
jamais entendu parler de l'ordre du Roi
de détruire les aiguilles, cousait.

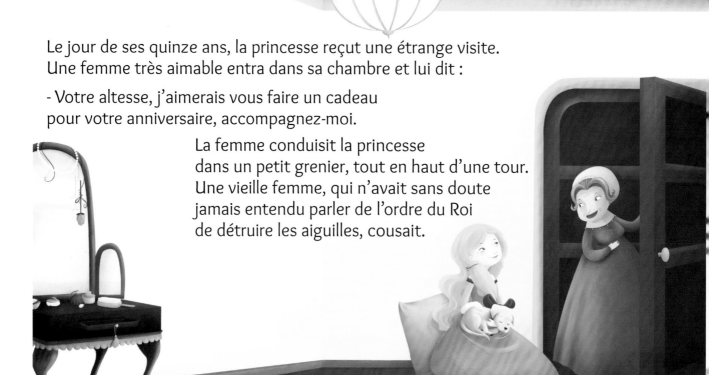

- Quel étrange travail !
s'exclama la princesse.
Pouvez-vous me montrer
comment vous faites ?

La couturière tendit l'aiguille à la princesse.
À peine l'eut-elle saisie qu'elle se piqua le doigt
et tomba au sol, plongée dans un profond sommeil.

- Ah ! Ah ! Ah ! Un épouvantable éclat de rire
résonna dans tout le château.

Cette femme si aimable était en fait...
la méchante fée !

Le Roi et la Reine étaient effondrés.
Ils firent aussitôt appeler les trois gentilles fées.

- Il ne faut pas que la princesse se retrouve seule
à son réveil, dit l'une d'elles.

Alors les fées décidèrent de plonger
le château et tous ses habitants
dans un sommeil qui durerait cent ans.

D'un coup de baguette magique,
elles endormirent valets, servantes,
cuisiniers, chiens, chats...

Les aiguilles des horloges cessèrent
de tourner et le temps s'arrêta
dans le château.

Cent ans s'étaient écoulés,
lorsqu'un jour, un prince charmant
passa alentour.

Il aperçut un château dissimulé par une épaisse forêt
et décida de s'en approcher. Au fur et à mesure
qu'il avançait, les branches et les ronces
s'écartaient sur son passage.

Quelle surprise lorsque le jeune homme
entra dans le château ! Tout le monde dormait !

Chiens, chats, chevaux, poules et pigeons étaient couchés
dans la cour. Gardes et valets dormaient dans l'escalier.
Dans les cuisines, chefs et marmitons ronflaient bruyamment.
Dans la salle d'honneur, le Roi et la Reine dormaient
sur leurs trônes.

Porté par une étrange intuition,
le prince entra dans une chambre
et vit une magnifique jeune femme
qui dormait d'un sommeil paisible.

Le prince prit la main de la jeune femme, y posa ses lèvres
et la jolie princesse se réveilla de son long sommeil.

Aussitôt, les horloges se remirent à fonctionner, les habitants du château baillèrent,
s'étirèrent et sortirent peu à peu de leur long sommeil.
Les chiens se remirent à aboyer, les chevaux à hennir
et l'épaisse forêt qui dissimulait le château
disparut comme par magie.

Le jour suivant, les cloches du royaume retentirent joyeusement
pour annoncer le mariage du prince et de la princesse.

Et c'est ainsi que, après avoir dormi cent ans durant,
cette jeune et douce princesse vécut heureuse avec son prince charmant.

FIN

LA PETITE SIRÈNE

Il était une fois, au fond de l'océan, un merveilleux palais
dans lequel vivaient le Roi et la Reine des mers, ainsi que leurs six filles.
La plus jeune, la petite sirène, possédait une voix magnifique.
- Mère, demandait-elle à la Reine, quand pourrai-je aller à la surface ?
- Quand tu auras quinze ans, lui répondait toujours sa mère.

Le jour tant attendu arriva enfin. La petite sirène remonta à la surface,
s'assit sur un rocher et admira la belle plage, les habitations, les arbres et les oiseaux.
Non loin d'elle, un bateau était ancré.
Elle vit alors pour la première fois un être humain. C'était le capitaine,
son visage était beau. L'espace d'un instant, leurs regards se croisèrent.

Tout à coup, un orage éclata.
Une vague arracha le capitaine du pont du navire.
La petite sirène, n'écoutant que son cœur,
plongea et le ramena sur la plage.
Elle le réanima, puis le regard plein de tendresse,
s'endormit à ses côtés.

Des cris réveillèrent la petite sirène.
Elle aperçut des pêcheurs
qui couraient vers eux.
Effrayée, elle eut juste le temps
d'entendre son capitaine murmurer :

- Merci, vous m'avez sauvé la vie.

Et elle plongea dans la mer.

La petite sirène nagea
jusqu'au palais de son père.

- Comment cela s'est-il passé ?
lui demanda-t-il.

- Les humains sont si merveilleux,
parvint à dire la petite sirène,
et des larmes glissèrent sur ses joues.

Elle ne pourrait jamais oublier
le beau visage de son capitaine...

Le temps passa et le souvenir du capitaine la rendait tous les jours de plus en plus triste. Un jour, la sorcière des mers s'approcha d'elle.

- Seul un sort de ma part peut t'aider, lui dit-elle. Je peux changer ta queue de poisson en deux magnifiques jambes, mais en échange, tu perdras ta belle voix.

Sans hésiter, la petite sirène accepta.

La petite sirène remonta à la surface.

Elle nagea jusqu'à la plage,
puis s'écroula en essayant de marcher.

Elle poussa un gémissement,
mais aucun son ne sortit de sa bouche.

- Que vous arrive-t-il, jeune fille ?

La petite sirène vit alors
le beau visage de son capitaine.

- Montez dans mon carrosse,
vous vous rétablirez dans mon château, lui dit-il.

C'est ainsi que la petite sirène commença
une nouvelle vie.

Elle s'habillait de soie et de velours,
et se parait des plus beaux bijoux.

Aux côtés de son capitaine, tout était merveilleux,
même si elle ne pouvait le lui dire.

Mais un soir de bal, rien ne lui fut plus douloureux
que de voir son capitaine
converser avec d'autres jeunes filles.

Leurs voix et leurs rires lui transperçaient le cœur,
tels des poignards.

Un jour, le bateau du capitaine leva l'ancre.

La petite sirène était du voyage, mais de jour en jour,
elle était de plus en plus triste
de ne pas pouvoir lui dire
combien elle l'aimait.

Un soir, alors qu'elle pleurait,
la sorcière des mers apparut.

- Petite sirène, je sais ce qu'il t'arrive.
Tu es amoureuse du capitaine,
mais tu ne peux pas le lui dire.
Peut-être ne peut-il pas t'entendre ?
se moqua la sorcière.

J'ai la solution.
Tu devras lui donner un baiser.
Ainsi, il tombera amoureux de toi
et tu retrouveras ta voix,
lui dit la sorcière.

En réalité, la sorcière était, elle aussi,
amoureuse du capitaine.

Elle avait manigancé un plan
pour déclencher une terrible tempête
qui emporterait la jeune fille,
ce qui lui permettrait de prendre
son apparence et sa belle voix.

La petite sirène courut vers la cabine du capitaine.
Soudain, un vent très fort fit tanguer le bateau.
En trébuchant, la petite sirène réveilla le capitaine
et ils échangèrent alors un tendre baiser.

La sorcière des mers, aveuglée par la jalousie, brandit son trident et les eaux de l'océan
s'ouvrirent pour former un tourbillon prêt à tout engloutir sur son passage.

Le Roi des mers surgit du fond de l'océan.

- Sorcière ! Tu dois respecter ta parole, et si tu ne le fais pas, tu dois disparaître !
déclara le Roi.

Et la sorcière disparut pour toujours, emportée au fond de la mer.

Le jour se leva. La tempête était terminée.

La petite sirène se réveilla sur la plage et aperçut au loin son cher capitaine.

Elle courut vers lui, très inquiète.

- Capitaine ! Capitaine ! disait la petite sirène.

- C'est assurément toi que j'aime depuis toujours, répondit le capitaine.

Ils échangèrent un tendre baiser et scellèrent leur amour pour toujours.

LE CHAT BOTTÉ

Il était une fois un meunier très pauvre qui, se sentant mourir,
décida de partager ses maigres biens entre ses trois fils.
L'aîné hérita du moulin, le cadet, d'un âne, et le plus jeune, d'un chat.
Le plus jeune fils était très inquiet pour son avenir.
Comment un chat lui permettrait-il de subvenir à ses besoins ?
- Dors tranquille, cher maître... lui dit le chat, tu verras, je t'aiderai...

Dès le lendemain, le chat alla au grenier et chaussa de vieilles bottes,
mit une sacoche sur son épaule et s'en alla à travers champs.

Comme il était très futé, il réussit à attirer deux lièvres dans sa sacoche.

Il arriva au palais du Roi et se présenta au garde.

- Je suis le chat botté, je dois parler à sa Majesté.
Mon maître, le marquis de Carabas, lui fait porter un présent, inventa-t-il.

Le Roi adorait les cadeaux !

Le chat botté lui en offrit tous les jours,
si bien que le Roi réclama
de faire la connaissance de ce marquis
si prévenant.

Le chat botté apprit que le dimanche suivant, le Roi irait se promener avec sa fille près de la rivière. Le chat se précipita pour rejoindre son maître.

- Ce dimanche, à midi, tu dois aller te baigner dans la rivière, lui dit le chat.
Et n'oublie pas : désormais, je suis le chat botté et toi le marquis de Carabas.

Comme convenu,
le jeune homme alla se baigner
dans la rivière.

Le chat botté mit les habits de son maître
dans sa sacoche, attendit que le carrosse royal
s'approche et cria :

- Au secours ! Au secours !
Mon maître, le marquis de Carabas, se noie !

Le Roi reconnut le chat botté
et cria à ses gardes d'aller secourir le marquis.

Le chat botté remercia le Roi
et lui dit que des voleurs en avaient profité
pour dérober les habits de son maître.

Le Roi ordonna aussitôt à ses gardes d'aller chercher les plus beaux vêtements.

- Cher marquis de Carabas,
s'exclama le Roi, permettez-moi
de vous remercier pour vos cadeaux
et de vous présenter ma fille, la princesse.
Accompagnez-nous donc
dans notre promenade !

Dès le premier regard,
la princesse fut conquise
par cet élégant jeune homme...

Et c'était réciproque !

Le chat botté devança le cortège et ordonna aux paysans de répondre,
si on les interrogeait, que les terres qu'ils travaillaient appartenaient
au marquis de Carabas.

En réalité, elles appartenaient
à un seigneur,
qui était aussi un ogre.

Alors que le cortège royal progressait,
le chat botté prit le chemin
du château de l'ogre.

- Je ne voulais pas passer
près de votre château sans vous saluer,
lui dit le chat.
D'après ce qu'on dit,
vous êtes capable de vous changer
en l'animal le plus féroce de la terre,
continua le chat botté pour le flatter.

Et l'ogre se changea aussitôt en un lion rugissant. Le chat botté le provoqua à nouveau :

- Vous pouvez vous changer en l'animal le plus terrible, mais pas en l'animal le plus grand !

Il n'avait pas fini sa phrase que l'ogre se transforma en un gigantesque éléphant.
Le chat botté s'approcha et, faisant semblant de réfléchir, dit :

- Oui, vous pouvez vous changer en l'animal le plus féroce,
et aussi en l'animal le plus grand, mais... sans doute pas en l'animal le plus petit !

L'ogre se changea alors en une minuscule souris.
Le chat botté bondit, l'attrapa et l'enferma dans sa sacoche.

Le cortège royal arrivait à proximité du château de l'ogre. Le chat botté alla à sa rencontre.

- Oh Majesté ! s'exclama-t-il. Soyez le bienvenu au château du marquis de Carabas !

- Comment ? Ce château vous appartient aussi ? dit le Roi au marquis.

Le fils du meunier n'en revenait pas. Grâce à ce chat, en quelques heures, la chance lui avait souri. Et, surtout, il était amoureux d'une ravissante princesse.

Le mariage du marquis de Carabas et de la princesse fut célébré quelque temps plus tard.

Le chat botté
pouvait prendre un repos
bien mérité,
et comme il n'avait plus besoin
de chasser pour manger,
il proposa à l'ogre,
désormais souris, de devenir son ami.

Et l'ogre, enchanté, accepta.

FIN

LE JOUEUR DE FLÛTE DE HAMELIN

Il y a très longtemps, dans la ville de Hamelin, les habitants, qui ne voulaient pas faire de dépenses inutiles, décidèrent de chasser les chats pour ne plus avoir à les nourrir.

Un matin, ils découvrirent leurs rues et leurs maisons envahies par des rats. Désespérés, ils demandèrent au maire de trouver une solution pour lutter contre ce fléau.

Le maire, qui n'aimait pas être dérangé,
leur dit :

- Arrêtez de crier tous en même temps !
J'ai entendu parler d'un joueur de flûte
qui vit dans la montagne et qui peut
nous débarrasser des rats.
Je vais envoyer un messager le chercher
et le problème sera réglé !
Vous avez ma parole !

L'après-midi même, le joueur de flûte se présenta à la mairie de Hamelin et expliqua :

- J'ai le secret d'une mélodie qui attire les rats : ils me suivront et ne reviendront jamais.

- Si tu dis vrai, je te donnerai en récompense ce sac de cent pièces d'or, lui dit le maire.

Le jeune homme alla sur la grand'place de Hamelin et commença à jouer de la flûte.

Aussitôt, les rats arrivèrent les uns après les autres et se mirent à le suivre, formant ainsi une longue file. Le joueur de flûte fit le tour de la ville afin d'être sûr que tous les rats le suivent bien. Il prit ensuite le chemin de la montagne en direction de la rivière.

Le musicien traversa la rivière sans cesser de jouer. Les rats le suivirent et, un à un, tombèrent à l'eau et se noyèrent.

Quand la nouvelle arriva à Hamelin, la ville éclata de joie.
Le joueur de flûte avait tenu sa promesse !

Le maire, pourtant très avare, organisa une grande fête.

Le lendemain, le joueur de flûte vint chercher sa récompense.

- Allons, mon jeune garçon ! lui dit le maire. Tu croyais vraiment que j'allais te donner autant d'or pour jouer un air de flûte ? Je te conseille de partir si tu ne veux pas finir en prison !

Les habitants éclatèrent de rire.

Le joueur de flûte était fou de rage.

- Ces gens méritent une bonne leçon, se dit-il en regagnant la montagne.

La nuit suivante, alors que toute la ville dormait, le joueur de flûte alla sur la grand'place et joua une mélodie dont il avait le secret. Les enfants de Hamelin arrivèrent les uns après les autres, formant ainsi une longue file.

Le musicien fit le tour de la ville, et sans arrêter de jouer, prit à nouveau le chemin de la montagne.

Le joueur de flûte s'arrêta à l'entrée d'une grotte.
Il fit entrer les enfants, un à un, au son de sa flûte,
puis il ferma l'entrée avec une énorme pierre.

Hamelin devint alors la ville la plus triste au monde.
Les habitants savaient qu'ils étaient tous responsables
de ce malheur.
Le maire n'avait pas tenu sa promesse,
et eux n'avaient rien fait contre l'injustice
faite au jeune homme.

Ils exigèrent que le maire paie la récompense promise.
Mais le maire refusa en prétextant que les coffres de la ville étaient vides.

- Mensonges ! répondirent en chœur les parents.
Si vous ne payez pas la récompense, on vous chasse de la ville !

Le maire, tout penaud, alla chercher un sac de deux cents pièces d'or et envoya un gendarme le porter au joueur de flûte.

- Donne-lui ces deux cents pièces d'or. Cent pièces pour notre promesse et les cent autres pour la libération des enfants.

Le gendarme trouva le musicien et lui fit part du message du maire.

- J'accepte, mais remets-moi l'argent d'abord !
dit le joueur de flûte.

Après avoir reçu le sac, le musicien libéra les enfants
et les ramena à Hamelin
au son d'un air de flûte entraînant.

Hamelin redevint une ville heureuse. Le maire présenta ses excuses
au joueur de flûte et à tous ses concitoyens.

- Chers amis, leur dit-il. À partir de maintenant,
je tiendrai toujours ma parole.
Une promesse est une promesse !

FIN

LE LIVRE DE LA JUNGLE

Un matin, on entendit des pleurs inhabituels
dans la jungle.
Bagheera, la panthère noire
qui buvait dans la rivière, aperçut un couffin.
- Un enfant ! rugit-elle. Que puis-je faire ?
se dit Bagheera en se grattant la tête
avec une de ses griffes.
Je sais ! Je vais confier ce bébé à Rama,
la louve, qui élève déjà trois ou quatre petits.

Rama commença par grogner, car elle était très râleuse.
Mais Bagheera la connaissait bien : Rama avait si bon cœur qu'elle accepta très vite
de s'occuper de cet étrange petit.

On appela le petit enfant Mowgli. Huit années s'écoulèrent.

Auprès de ses amis, Mowgli apprit le langage des loups.
Il savait aussi courir dans la jungle comme une gazelle, grimper aux arbres
comme un singe et rêver, comme les girafes, la tête dans les nuages.

Un jour, les loups organisèrent une grande réunion. Rama prit la parole :

- Mowgli est en danger ! Shere Khan,
le tigre le plus féroce de la jungle, rôde par ici.

Rama avait peur pour Mowgli,
car elle savait que Shere Khan haïssait
particulièrement les humains.

Les loups décidèrent d'envoyer Mowgli vivre avec l'ours Baloo.

- Il est grand et fort, et c'est le seul animal de la jungle auquel Shere Khan n'ose pas
s'attaquer, dit le plus vieux et le plus sage des loups.

Mowgli, qui avait assisté en cachette à la réunion, sut que sa vie allait changer.

Avec Baloo,
Mowgli apprit à se pendre aux lianes,
à voler du miel dans les ruches,
à secouer les palmiers
pour faire tomber les noix de coco,
à faire des pirouettes
avant de tomber dans la rivière
et à répondre à l'écho de la forêt.

Quand Bagheera lui rendait visite,
Mowgli grimpait sur le dos de Baloo
et ils partaient tous les trois à l'étang.
C'était un endroit magique,
où ils regardaient les paons
ouvrir en éventail
leurs très longues plumes multicolores.

Un jour, alors que Baloo faisait la sieste,
Mowgli décida de se rendre seul à l'étang.

Tout à coup,
il sentit qu'un piège de lianes le ficelait
et le hissait dans les airs,
au milieu de grands éclats de rire.

- Je n'ai jamais vu de singes
aussi bêtes que vous ! dit Mowgli
en faisant semblant d'être fâché.

- On te libère seulement si tu joues avec nous !
dit le plus petit des singes.

Mowgli n'hésita pas un instant à se joindre à eux ;
Ils jouèrent à sauter, à grimper et à pousser des cris.

Mais, soudain, un rugissement féroce
retentit dans toute la jungle. Shere Khan !

- Surtout ne le regarde pas dans les yeux, Mowgli ! lui cria un des singes. Cours !

Mais il était déjà trop tard. Shere Khan avançait lentement vers Mowgli
et commençait déjà à se lécher les babines.

Mowgli, comme hypnotisé, ne pouvait détacher son regard de celui de l'énorme tigre.
La plus acérée des griffes de Shere Khan était à moins d'un cheveu de Mowgli,
lorsqu'un petit papillon effleura de ses ailes les grands cils du tigre.

Le regard de Shere Khan se détourna une seconde des yeux de Mowgli
et le jeune garçon en profita pour plonger dans l'étang.

Les beaux oiseaux l'aidèrent à retrouver ses esprits.

Mowgli avait résisté à Shere Khan et il était très fier de son courage.
Il sentait aussi que quelque chose avait changé en lui...
Comme s'il lui manquait une chose très importante, sans savoir exactement quoi.

Il se confia à son ami Baloo qui lui dit tendrement :

- Mowgli, je sais ce qui t'arrive : tu es un humain et tu dois aller vivre avec les tiens.
Tu es en danger ici dans la jungle.

Mowgli remarqua que Baloo avait les larmes aux yeux, mais il ne dit rien.

Le jour suivant,
Mowgli marcha longtemps jusqu'au village.
Il aperçut des hommes, des femmes
et des enfants. Les siens.

Il distingua aussi, entre tous, la silhouette
d'une charmante jeune fille aux cheveux longs.

Mowgli apprit à connaître les habitants du village
et sut dès lors que jamais
il ne pourrait se séparer de cette jeune fille.

FIN

LE LOUP
ET LES SEPT CHEVREAUX

Il était une fois sept adorables chevreaux. Ils vivaient avec leur maman dans une petite maison en lisière de forêt. La maison était toujours propre et bien rangée, les petits étaient gentils et bien élevés. La journée commençait toujours par un copieux petit-déjeuner fait de tartines de pain frais trempées dans du lait bien chaud. C'était la maison du bonheur.

Un jour, maman chèvre dut se rendre au marché. Comme elle avait entendu dire qu'un loup rôdait dans la forêt, elle mit en garde ses enfants.

- Faites attention au loup ! Avec la faim au ventre, ce vilain animal est capable de tout.

- Oui, oui, ne t'inquiète pas maman, répondirent les chevreaux.

- Promettez-moi de n'ouvrir à personne, insista-t-elle.

Les sept chevreaux promirent, et maman chèvre s'en alla.

Peu de temps après, on frappa à la porte.

- Toc ! toc ! toc !

L'aîné des chevreaux s'approcha d'un air décidé :

- Qui est-ce ? demanda-t-il.

- Ouvrez ! Je suis votre maman…

- Ce n'est pas vrai. Ta voix est rauque et désagréable, alors que la voix de maman est douce et tendre, répondit-il.

Le loup était furieux et ses hurlements résonnèrent dans toute la forêt.

Le loup prit le chemin de son repaire. Il se prépara une infusion aux fruits des bois avec du miel de fleur d'oranger pour adoucir sa voix. Et pour la rendre plus tendre, il avala aussi un cocktail de blanc d'œuf, de menthe et de cumin.

- Ils sont à moi maintenant ! ricana le loup.

Les chevreaux jouaient sagement lorsqu'on frappa de nouveau à la porte.

- Qui est-ce ? demanda le plus jeune des chevreaux.

- Je suis votre maman, répondit le loup d'une voix très fine et aigüe. Ouvrez-moi mes chéris ! Je rentre du marché les bras chargés !

Les sept chevreaux se regardèrent : quelque chose clochait...

- Ce n'est pas maman ! dit l'un.

Un autre chevreau, malin comme un singe, eut une brillante idée.

- Glisse ta patte sous la porte...

En voyant la patte velue et les griffes acérées, ils s'exclamèrent :

- Maman a les pattes blanches et douces.
Va-t'en le loup, et ne reviens jamais !

Après ce nouvel échec, le loup, en colère et affamé, retourna
dans son repaire et réfléchit à une nouvelle stratégie.
Il mouilla ses pattes et les plongea dans un sac de farine,
persuadé que les sept chevreaux lui ouvriraient cette fois-ci.

- Toc ! toc ! toc ! Ouvrez-moi mes chéris, c'est maman ! dit le loup.

- Glisse ta patte sous la porte, dirent en chœur les chevreaux.

En voyant la patte blanche et douce, ils sautèrent de joie et ouvrirent la porte.

Le loup laissa échapper un rire narquois. Il attacha les chevreaux avec une corde et les emmena dans son repaire, sans s'apercevoir que le plus petit chevreau s'était caché sous le lit.

- Quel festin je vais faire ce soir ! se dit le loup en salivant déjà.

Maman chèvre rentra peu après.
Le petit chevreau sortit de dessous le lit
et se réfugia dans ses bras.

- Le loup a emmené mes frères et mes sœurs !
Il va les manger ! dit-il en sanglotant.

Vite ! Maman chèvre devait trouver une idée
pour sauver ses petits. Elle prit une corde et,
accompagnée de son chevreau,
alla frapper chez son voisin le papillon.
Tous trois se rendirent au repaire du loup.

De la cheminée, s'échappait déjà la vapeur d'une grosse marmite.

Maman chèvre fit un nœud coulant au bout de la corde, attacha solidement l'autre bout à un arbre, puis se cacha. Le papillon et le chevreau se postèrent face à la porte.

- Hé, le loup ! appela le papillon. Je t'amène le dernier chevreau… tu l'avais oublié !

- Et un de plus ! hurla le loup en sautant sur le petit chevreau.

Le papillon se mit à agiter les ailes devant les yeux du loup qui tenta en vain de le chasser. Le petit chevreau en profita pour prendre la poudre d'escampette…

Tout aussi rapide, maman chèvre lança l'autre bout de la corde autour du cou du loup. Il était prisonnier et plus il s'agitait, plus la corde se resserrait autour de son cou.

Maman chèvre délivra ses petits.

Quelle joie pour les chevreaux de revoir leur maman et leur petit frère !

Le loup, la langue pendante, ne leur faisait plus peur du tout.

- Que fait-on de lui ? demanda le papillon à maman chèvre.

Maman chèvre haussa les épaules.
Le principal était d'avoir retrouvé ses enfants sains et saufs !
Alors toute la famille reprit le chemin de la maison.

- Le loup aura retenu la leçon ? demanda le plus jeune des chevreaux.

- Et vous, mes chéris, avez-vous compris la leçon ?
demanda maman chèvre.

Sur ces mots, elle les embrassa tendrement
et les serra tous très fort dans ses bras.

FIN

LE PETIT
CHAPERON ROUGE

Il était une fois une adorable petite fille qui portait une cape rouge,
été comme hiver, si bien que tout le monde la surnommait
le Petit Chaperon rouge.

Un jour, sa maman lui demanda d'apporter un panier de provisions à sa grand-mère
qui était malade.
Elle lui recommanda de faire bien attention au grand méchant loup qui vivait dans la forêt.

La fillette se mit en route. Très occupée à cueillir des fleurs,
elle ne vit pas le grand méchant loup qui l'épiait, caché derrière un buisson.

Elle sursauta lorsque le loup se montra.

- À qui apportes-tu ce panier de provisions ? lui demanda le loup d'une petite voix
qui se voulait aimable.

- C'est pour ma grand-mère, qui vit de l'autre côté de la forêt.
Et maintenant, écarte-toi de mon chemin, lui répondit-elle.

L'animal, très rusé, prit aussitôt un raccourci pour arriver le premier chez la grand-mère.

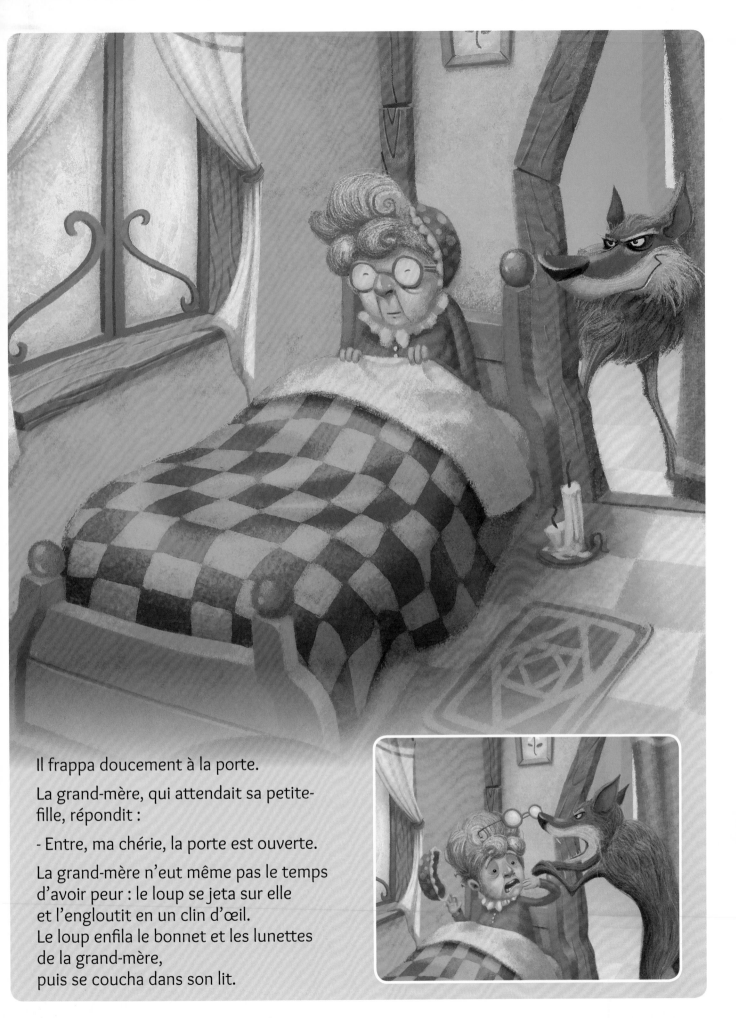

Il frappa doucement à la porte.

La grand-mère, qui attendait sa petite-fille, répondit :

– Entre, ma chérie, la porte est ouverte.

La grand-mère n'eut même pas le temps d'avoir peur : le loup se jeta sur elle et l'engloutit en un clin d'œil.
Le loup enfila le bonnet et les lunettes de la grand-mère,
puis se coucha dans son lit.

Le Petit Chaperon rouge arriva d'un pas joyeux.

Quand elle vit sa grand-mère, elle lui trouva un air très étrange !

- Mère-grand, comme tu as de gros yeux ! lui dit-elle.

- C'est pour mieux te voir, mon enfant, lui répondit le loup
en imitant la voix de la grand-mère.

- Mère-grand, comme tu as de grandes oreilles ! continua le Petit Chaperon rouge.

- C'est pour mieux t'entendre, poursuivit le loup.

- Mère-grand, comme tu as un long nez !

- C'est pour mieux te sentir, mon enfant, répondit le loup d'un air rusé.

- Et ces dents ? Mère-grand, pourquoi as-tu des dents si grandes et si pointues ?

- C'est... pour mieux te manger !

Et le loup sauta sur la fillette et l'avala sans même la croquer.

Repu, le loup s'installa dans le lit de la grand-mère, ferma les yeux et se mit à ronfler.

Un chasseur, qui passait par là, entendit des ronflements si bruyants qu'il trouva cela étrange. Il entra dans la maison et vit le loup en train de dormir.

Son ventre était énorme. Le chasseur comprit aussitôt ce qui s'était passé.

Sans laisser au loup le temps de se réveiller, il sortit un grand couteau et fendit le ventre de l'animal.

Aussitôt le Petit Chaperon rouge et sa grand-mère sortirent du ventre du loup.

- Merci de nous avoir sauvées ! s'exclamèrent la grand-mère et sa petite fille en se jetant dans les bras du chasseur.

Le chasseur transporta le loup à l'extérieur.

- Je vais remplir le ventre du loup avec des grosses pierres et nous allons le recoudre.
Je suis sûr qu'il aura très soif lorsqu'il se réveillera ! dit le chasseur avec un petit sourire.

Le loup se réveilla le ventre très lourd.

Il courut vers l'étang pour se désaltérer, mais quand il se pencha près du bord, le poids
des pierres l'entraîna vers le fond. Il disparut dans un tourbillon et on ne le revit jamais.

121

La grand-mère invita la fillette et le chasseur
à partager son goûter,
puis le Petit Chaperon rouge
reprit le chemin de sa maison.

- Comme je suis heureuse de te voir, ma fille !
s'exclama sa maman. Comment va mère-grand ?

- Beaucoup mieux, maman, beaucoup mieux,
répondit le Petit Chaperon rouge
avec un sourire amusé.

FIN

LE VAILLANT PETIT TAILLEUR

Sept d'un coup !

Il était une fois un vaillant petit tailleur qui passait ses journées à couper et à coudre pour gagner sa vie.

Un jour, des mouches envahirent son atelier et il les chassa d'un geste de la main. À sa grande surprise, il vit sept mouches tomber au sol.

- Sept d'un coup ! s'exclama-t-il très fier.

Il broda ces mots sur sa chemise et s'en fut parcourir le monde en quête de gloire.

En chemin, il trouva un vieux fromage plus dur qu'une pierre et le mit dans sa poche.

- Je le mangerai lorsque j'aurai faim, se dit-il.

Quelque temps plus tard, il rencontra un petit oiseau prisonnier d'un buisson. Il le libéra des épines et le mit dans sa besace.

- Il me tiendra compagnie lorsque je serai seul, se dit le petit tailleur.

Soudain, un géant lui barra la route.
En lisant les mots brodés sur la chemise du petit tailleur, il ricana.

- Tu es minuscule comme un microbe
et tu aurais tué sept ennemis d'un seul coup ! Quelle blague !

Le géant le mit au défi de prouver sa force.
Il ramassa une pierre et la réduit en poussière.

- Pas mal, dit le petit tailleur, mais manger une pierre,
c'est plus difficile encore !

Il fit discrètement tomber le fromage de sa poche,
le ramassa et le mit dans sa bouche.
Le géant, interloqué, regarda le petit tailleur
mastiquer ce qu'il prenait pour une pierre.

Le géant le défia une seconde fois :
il lança de toutes ses forces
une pierre dans les airs.
La pierre s'éleva
jusqu'à toucher les nuages,
puis retomba sur le sol.

- Rien de plus facile, rétorqua le petit tailleur
avec un sourire amusé.

Il fit croire au géant
qu'il ramassait une pierre
et libéra l'oiseau de sa besace.
Ce dernier, épris de liberté,
s'envola si haut qu'on ne le revit pas.

Le géant, estomaqué, ne voulait pas s'avouer vaincu.

- Voyons voir si tu peux m'aider
à transporter ce gros chêne !

- Aucun problème, répondit le petit tailleur.
Tu portes le tronc, ce sera plus facile pour toi,
et moi je me charge des branches,
c'est le plus difficile.

Dès que le géant eut hissé
le tronc sur son épaule,
le petit tailleur monta
sur une branche et cria :

- Un, deux, trois, on lève !

Le géant qui portait tout seul le poids de l'arbre
et du petit tailleur sans le savoir,
fit deux pas et s'écria :

- J'abandonne, je n'en peux plus !

Vaincu, mais impressionné par la force de son nouvel ami, le géant invita le petit tailleur dans sa cabane pour y passer la nuit. Son frère les accueillit en grognant, mais se calma vite lorsque le géant lui raconta les exploits de ce microbe.

Le géant proposa au petit tailleur de dormir entre eux deux. Dès qu'il entendit les géants ronfler, le petit tailleur sortit du lit et se coucha sur un banc. Il avait vu juste : dans la nuit, le géant, jaloux de ses exploits, essaya de le tuer en frappant le matelas avec un gourdin.

Quelle surprise le lendemain
pour les deux géants
lorsqu'ils virent le petit tailleur
en pleine forme !
Ce dernier, l'air de rien,
les remercia de leur hospitalité
et reprit la route,
chargé des provisions
offertes par les deux frères admiratifs.

Le petit tailleur marcha toute la journée,
puis s'arrêta pour se reposer.
Il s'assoupit sous un arbre.
Des chevaliers vinrent à passer par là.
En lisant les mots brodés sur
la chemise « Sept d'un coup »,
ils furent persuadés d'être face
à un terrible chevalier.
Ils décidèrent d'en informer le Roi.

Ce dernier fit immédiatement venir
le petit tailleur au château et lui proposa
de le faire chevalier à la Cour.

Le petit tailleur accepta, enchanté.
Le Roi lui offrit des habits
et donna un festin en son honneur.

128

Cependant, un autre défi l'attendait :
le Roi lui demanda de prouver sa bravoure.

- Deux géants importunent sans cesse
mon peuple, toi seul es capable
de nous en débarrasser !

Le petit tailleur accepta la mission
avec un petit sourire entendu...

- Je crois les connaître, dit-il
en se préparant à partir
à la rencontre des deux géants !

- Je vous laisse la vie sauve
si vous me promettez de cesser d'ennuyer
les habitants du royaume.

Toujours aussi impressionnés
par sa force, les géants lui jurèrent
de ne plus recommencer.

Le petit tailleur revint au château en héros.
La fille du Roi n'avait d'yeux que pour lui
et il tomba vite amoureux d'elle.
Ils se marièrent.
Le petit tailleur devint prince, puis Roi,
et jamais plus personne n'osa le défier.

FIN

LE VILAIN PETIT CANARD

C'était l'été. À la ferme, une cane couvait quatre petits œufs tout blancs et un cinquième très gros et tout gris.

Un matin, les petits œufs tout blancs se fendillèrent et quatre canetons apparurent. Mais le gros œuf foncé tardait à éclore.

- Comme c'est étrange ! dit maman cane. D'où peut-il venir ?

- C'est peut-être un dindon qui l'a déposé dans ton nid pendant que tu dormais, répondit une amie.

Le mystère fut vite élucidé. De ce gros œuf sombre sortit un poussin trop grand, un peu maladroit et assez laid.

Maman cane emmena ses poussins à l'étang. Elle fut ravie de constater que ce petit canard pas comme les autres nageait très bien ! Lorsqu'elle présenta ses poussins aux autres animaux de la ferme, tous trouvèrent le petit canard très laid.

- Qu'il s'en aille ! criaient-ils en cœur. Maman cane faisait tout pour protéger son petit canard, mais les moqueries étaient trop fortes.

- Je suis si laid que personne ne m'aime, se dit tristement le petit canard.

Et il décida de quitter la ferme.

Après une longue marche, le vilain petit canard arriva près d'un lac où nageaient des canards sauvages. Ils se moquèrent de lui avant de prendre leur envol.

Le vilain petit canard ne put dormir de la nuit. Quel mal leur avait-il fait ?

Le jour se leva.
Soudain, un bruit épouvantable retentit.
Pan ! Pan ! Une partie de chasse !

Le vilain petit canard se cacha sous une feuille,
mais un chien de chasse avait suivi sa trace.

Le chien le renifla, le regarda un moment, puis s'en alla.
Soulagé, mais très triste, le vilain petit canard se dit :

- Je suis si laid, que même les chiens ne veulent pas me manger !

Le petit canard sortit de sa cachette. Il marcha longtemps et arriva
près d'une vieille grange. Il entra, se coucha sur un tas de paille et s'endormit.

Au petit matin, une poule et un chat le découvrirent.
Ils firent un tel vacarme qu'une vieille femme arriva.

- Quelle chance ! dit-elle. Je vais te nourrir et si tu ponds des œufs, tu pourras rester ici.

Mais chaque matin, le nid du petit canard était vide. Tous les jours,
la femme le grondait, et un jour, très en colère, elle le chassa de la cabane.

L'automne arriva.

Un jour, à l'aube, le vilain petit canard vit des cygnes au loin.
Il ressentit une sensation étrange,
comme s'il les connaissait.

Puis l'automne fit place à l'hiver.

Le petit canard se fit surprendre
par une tempête de neige et fut sauvé
par un fermier qui l'accueillit chez lui.

Les enfants du fermier voulurent jouer avec lui.
Le vilain petit canard, effrayé,
se mit à courir dans la maison
et renversa tout sur son passage.

- Viens ici, vilain canard ! criait la fermière.
Quand je t'attraperai, tu finiras à la casserole !

Le petit canard, terrorisé,
s'enfuit très loin de cette maison.

Par une journée glaciale, il aperçut le terrier d'un vieux blaireau.
Il entra, se blottit contre l'animal et s'endormit.

Au matin, le petit canard se réveilla et quitta discrètement le terrier.
Il déploya ses ailes, s'aperçut qu'elles avaient poussé.

Oh ! Incroyable ! Il s'envola dans les airs !

Le printemps était déjà là.

Le petit canard observa trois cygnes qui nageaient majestueusement sur l'étang.

Il allait à leur rencontre, tête baissée par peur des moqueries,
quand il découvrit son reflet dans l'eau... Il était devenu un magnifique cygne blanc !

Les cygnes nageaient autour de lui, ravis de faire la connaissance d'un nouvel ami.

Au loin, il aperçut maman cane très fière, qui venait de reconnaître son petit canard
trop grand et maladroit.

Et c'est ainsi que le vilain petit canard,
que tout le monde avait méprisé à cause de sa différence,
ne se sentit plus jamais triste ni seul.

FIN

LES HABITS NEUFS DE L'EMPEREUR

Il y a longtemps vivait un empereur très vaniteux
qui dépensait tout son argent en habits somptueux.

Un jour, deux saltimbanques arrivèrent
dans la ville de l'empereur.
Ils se firent passer pour des tailleurs, en proclamant
que les magnifiques habits qu'ils confectionnaient
étaient invisibles aux yeux des imbéciles !

L'empereur, très intéressé, ordonna à l'un de ses pages de remettre un sac d'or
aux tailleurs afin qu'ils lui confectionnent ces fabuleux habits.
Le page alla voir les deux charlatans et leur remit le sac d'or.
- Merci beaucoup, lui dirent-ils. Dis à l'empereur que nous allons lui fabriquer
le plus élégant des habits qu'il ait jamais porté.

Avec cet argent, ils installèrent une machine à tisser dans un atelier abandonné
et laissèrent les lumières allumées toutes les nuits pour faire croire qu'ils travaillaient.

Quelques jours plus tard, l'empereur, impatient, envoya son premier ministre à l'atelier.

Mais en arrivant, il fut stupéfait de voir que la machine à tisser était vide !

- N'est-ce pas merveilleux ? lui demandèrent les deux tailleurs.

Le premier ministre, qui ne voulait pas passer pour un sot, acquiesça.

Lorsqu'il retourna au château, il dit à l'empereur que les habits étaient sublimes,
mais que les tailleurs avaient besoin de plus d'argent pour les finitions.

- Bien sûr ! répondit l'empereur. Donne leur ce qu'ils demandent.

Le temps passa... Une semaine plus tard,
l'empereur envoya un de ses conseillers à l'atelier.

Le conseiller, qui ne voyait rien sur le métier à tisser,
se dit qu'il risquait de passer pour un imbécile.
De retour au palais, il dit à l'empereur
que ses habits étaient presque terminés.

- Majesté, vous allez être
le plus élégant des empereurs !

Au bout d'un mois,
de plus en plus impatient, l'empereur
décida de se rendre lui-même à l'atelier.

En arrivant, il ne vit aucun habit !

- Où sont les habits ? se demanda l'empereur. Suis-je aussi bête pour ne pas les voir ?

Sans rien montrer de son embarras, il fit croire que les habits lui plaisaient beaucoup, même s'il ne les voyait pas.

Ses conseillers n'osèrent rien dire pour ne pas passer pour des imbéciles.

- Fantastique ! s'exclamèrent-ils. Majesté, vous devriez porter ces habits magnifiques pour le défilé de la garde d'après-demain.

La nuit précédent le défilé, les deux canailles allumèrent l'atelier pour faire croire qu'ils achevaient les habits de l'empereur.

Le matin, l'empereur, accompagné de ses conseillers, alla chercher ses habits à l'atelier.

Les deux escrocs lui demandèrent de se déshabiller afin d'enfiler ses nouveaux habits.

L'empereur rougit de honte, car il ne voyait toujours rien.
Mais comme il ne voulait pas avoir l'air bête devant ses conseillers, il se dévêtit.
Avec grand cérémonial, les tailleurs firent semblant de l'habiller.

L'empereur se regardait dans le miroir, faisant semblant d'admirer des habits inexistants.
Ses conseillers, qui ne voyaient rien non plus,
le flattaient en décrivant des habits somptueux.

Et c'est en caleçon que l'empereur marcha dans les rues de la ville,
pendant que ses valets faisaient semblant de porter une traîne invisible.

Et bien que personne ne vît les habits, tout le monde s'exclamait :

- Qu'ils sont beaux les habits neufs de l'empereur !

Mais quand le cortège arriva sur l'esplanade,
un enfant s'écria :

- L'empereur ne porte pas d'habits !
Regardez, il est en caleçon !

- Le garçon a raison, cria le peuple.
L'empereur est en caleçon !

L'empereur était cramoisi de honte.
Mais au lieu de reconnaître la vérité,
il continua d'arpenter les rues
comme si de rien n'était.

Et les valets continuèrent de tenir une traîne qui n'existait finalement que dans l'esprit de quelques imbéciles.

FIN

LES TROIS PETITS COCHONS

Il était une fois
trois petits cochons
qui étaient frères
et qui habitaient
près d'une grande forêt.

Un jour, ils aperçurent une empreinte
qui ressemblait fort à celle d'un loup.

- Un loup affamé rôde dans la forêt
et cela ne m'étonnerait pas qu'il soit là
pour nous croquer ! dit l'aîné.

Le plus jeune, lui répondit :

- Ne t'inquiète pas, l'entrée
de notre grotte est bien cachée,
le loup ne pourra jamais nous trouver !

Mais les petits cochons se trompaient... Cette nuit-là, alors que les trois frères dormaient, un loup énorme s'arrêta devant la grotte et commença à secouer la porte avec ses grosses pattes.

- Ouvrez la porte ! Je suis le grand méchant loup et je vais vous manger !

Les trois frères poussèrent de toutes leurs forces sur la porte de la grotte et réussirent à empêcher le loup d'entrer.

- Je reviendrai et je vous mangerai tous les trois ! cria le loup.

Le lendemain, l'aîné parla à ses frères.

- Il faut que chacun d'entre nous construise une maison solide
pour que le loup ne puisse pas y entrer.

Il commença aussitôt à élaborer les plans d'une maison en briques. Il alla chercher
du ciment, des briques, des outils… Et quand tout fut rassemblé, il se mit à l'œuvre.

Le plus jeune décida d'en construire une en paille. Elle serait ainsi vite
terminée et il aurait plus de temps pour s'amuser.

- Moi, je vais construire une maison en bois, se dit le second.
Elle sera plus solide et j'aurai encore le temps de m'amuser…
En moins d'une heure, leurs nouvelles maisons étaient achevées.

Après un immense effort pour terminer sa maison en briques,
l'aîné avait hâte de voir les maisons de ses deux frères.

Quand il vit les bicoques qu'ils avaient construites, il entra dans une grosse colère :

- Vous êtes des fainéants ! Vous allez voir ce que le loup va faire de vos maisons !

Cette nuit-là, le loup s'approcha sans bruit de la maison de paille. Il prit une profonde inspiration, souffla de toutes ses forces… et la maison de paille s'envola.

Le petit cochon courut aussi vite que possible se réfugier dans la maison en bois de son frère.

Devant la maison en bois,
le loup se concentra,
gonfla ses poumons d'air
et souffla de toutes ses forces.
Il souffla, et souffla tant,
que la petite maison de bois
s'effondra.

Les deux petits cochons
coururent vers la maison
en briques de leur frère...
qui referma la porte
juste avant que le loup
ne mette la patte sur eux.

Devant la maison de briques,
le loup souffla, souffla encore,
souffla de plus en plus fort !
Mais malgré tous ses efforts,
la maison ne bougea pas.

- Cette bicoque ne va pas
me résister ! cria-t-il.

À bout de souffle et épuisé,
le loup finit par s'asseoir
par terre pour se reposer.
Une idée lui vint alors à l'esprit...

- Je vais grimper sur le toit de la maison et descendre par la cheminée !

Il prit une grande échelle et monta sur le toit.

Mais l'aîné des petits cochons avait deviné ses intentions.

- Vite ! Allumons le feu
et remplissons la marmite d'eau ! dit-il.

Le loup prit tout son temps pour descendre
par la cheminée... Et il tomba directement
dans la marmite pleine d'eau bouillante !

Les petits cochons n'eurent qu'à ouvrir la porte...
Le grand méchant loup s'enfuit en poussant
des hurlements si terribles qu'on les entendit à l'autre bout
de la forêt.

Pour fêter leur victoire,
les trois frères chantèrent
et dansèrent joyeusement.
Puis, l'aîné, très sérieux, s'adressa à ses frères :

- J'espère que cela vous aura servi de leçon.
Allez vite vous construire une maison bien solide !

FIN

LES VOYAGES DE GULLIVER

Mon nom est Gulliver. Je vais vous raconter une histoire extraordinaire qui m'est arrivée il y a de nombreuses années.

Désireux de partir à la découverte du vaste monde, j'embarquai sur une frégate et mis le cap sur les îles des mers du Sud.

- Bienvenue à bord, mon garçon !
dit le Capitaine en m'accueillant.
C'est bien, tu es du genre aventurier.
Mais si tu veux connaître le monde,
tu dois aussi apprendre
à apprécier les petites choses de la vie.

À ce moment-là,
je ne compris pas ce qu'il voulut dire...

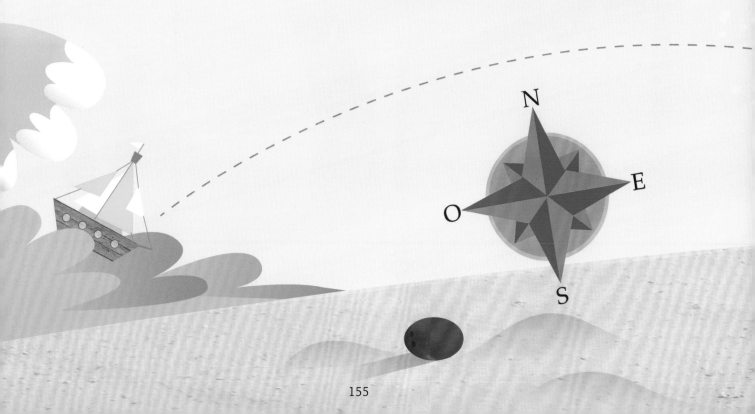

Après des semaines de navigation en eaux calmes, une énorme tempête éclata soudain. Sous un ciel chargé de nuages noirs, des vagues immenses balayaient le pont.

En un éclair, une vague me souleva en l'air et le choc fut si terrible que je perdis connaissance.

Lorsque j'ouvris les yeux, j'étais allongé, la mer me caressait les pieds et le sable entrait dans mes oreilles.
Je sentais aussi des fourmis qui me chatouillaient le torse.

- Où suis-je ? me demandai-je.

Je voulus me lever : impossible.
Je voulus me retourner, bouger une jambe, un bras : impossible aussi !

BIENVENUE À LILLIPUT

Au prix d'un effort surhumain, je réussis à lever la tête.
Ce que je vis dépassait tout ce que je pouvais imaginer.
Des cordes me maintenaient cloué au sol et ce n'était pas des fourmis,
mais des dizaines de petits hommes qui se tenaient debout sur ma poitrine.

Je tentai encore de me dégager et réussis cette fois à les faire tomber.
Alors que j'étais un peu gêné de leur avoir fait mal,
une pluie de flèches aussi petites que des aiguilles m'atteignit de toutes parts.

J'aurais pu me libérer d'un coup d'épaule,
mais je décidai de me tenir tranquille et d'observer.

J'entendis un bruit de scie et de marteau,
et en bougeant un œil,
je vis qu'ils étaient en train
de construire un échafaudage
près de ma tête.
Ils me versèrent à manger
et à boire dans la bouche,
et je dus épuiser un mois des provisions
de tout leur peuple en un seul repas !

Le jour suivant, quand je me réveillai,
je compris qu'ils m'avaient détaché.
Mais en me levant, je vis que mes chevilles
étaient tenues par des chaînes.

En approchant mon oreille tout près d'eux,
je découvris que l'on parlait la même langue.
J'appris ainsi que je me trouvais à Lilliput,
un royaume dirigé par un empereur.
J'appris aussi que les lilliputiens étaient en conflit
avec les habitants du royaume de Blefuscu, situé au nord de Lilliput.

- Pourquoi êtes-vous en guerre contre vos voisins ? demandai-je à l'empereur.

- C'est très grave ! Ils négligent une loi fondamentale qui résume notre façon
de voir les choses.
Nous pensons que les œufs à la coque doivent être cassés par le bout pointu.
Eux, maintiennent qu'il faut les casser par le bout le plus large !

Je ne pouvais imaginer que deux royaumes s'affrontent pour une histoire d'œuf à la coque...

Je racontai à l'empereur que mon pays s'était livré à de grandes guerres pour des raisons très importantes : la conquête de territoires, la possession de mines d'or et d'argent, de puits de pétrole et de gisements de pierres précieuses, ou juste le plaisir de hisser un drapeau sur le sol ennemi !

- Ton pays se bagarre pour de telles sottises ? s'étonna l'empereur.

Je ne répondis pas.

- Empereur, je ne veux pas me mêler des affaires de votre royaume. Mais si un œuf à la coque est un aliment d'une telle importance, quelle nécessité de savoir s'il faut le casser du côté large ou pointu ? demandai-je.

Je leur offris mes services pour être
le médiateur entre leurs deux royaumes.
Ma proposition fut accueillie
par de grands applaudissements.

Un jour, un messager sur sa monture arriva au galop et s'écria :

- Navires ennemis en vue !

La flotte ennemie comptait environ deux cents navires,
pas plus grands qu'une coquille de noix.

En leur barrant le passage, je dis doucement :

- Empereur de Blefuscu, je suis Gulliver,
et je me propose comme arbitre de ce conflit.

L'empereur de Blefuscu fut d'accord.

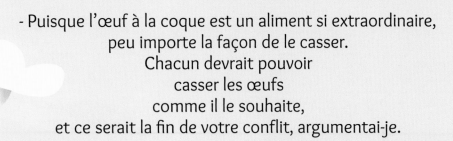

- Puisque l'œuf à la coque est un aliment si extraordinaire,
peu importe la façon de le casser.
Chacun devrait pouvoir
casser les œufs
comme il le souhaite,
et ce serait la fin de votre conflit, argumentai-je.

Convaincus que les guerres ne mènent à rien,
les deux empereurs se serrèrent la main et furent acclamés par leur peuple.

Ils me remercièrent et tous ensemble m'aidèrent à construire un bateau
afin que je rejoigne mon pays.

Sur le long chemin du retour, en rêvant d'un œuf à la coque,
ou en me rappelant mes bons moments avec les lilliputiens,
j'eus tout le temps alors de méditer la phrase du capitaine
sur l'importance des petites choses de la vie.

FIN

PETER PAN

Wendy, Michael et John étaient frères et sœur.
Ils vivaient tous les trois dans une grande maison près de Londres.

Tous les soirs, Wendy, la sœur aînée, racontait à ses frères les aventures
d'un personnage fantastique appelé Peter Pan.

Aussi chaque nuit, Michael, John et Wendy rêvaient de Peter Pan, du Pays Imaginaire
et des Enfants Perdus qui ne veulent pas grandir.

Par une nuit d'hiver, ils virent une petite lueur traverser la chambre.
- C'est moi ! Clochette !
- La fée Clochette ! répétèrent à l'unisson Wendy, Michael et John.
- Chuuut ! Vous allez réveiller vos parents, dit Clochette. Pour les aventures fabuleuses,
il est toujours préférable que les adultes dorment.

Soudain, un second rayon lumineux passa au-dessus de leurs têtes et se posa sur le lit.
- Peter Pan !
- Voulez-vous venir avec Clochette et moi au Pays Imaginaire ? demanda-t-il.
- Mais nous ne savons pas voler ! dit Wendy.
- Grâce à Clochette et à sa poudre magique, tout est possible, répondit Peter Pan.

Les trois amis suivirent alors Peter Pan et la fée Clochette. Ils survolèrent le Pays Imaginaire et Peter Pan leur montra le bateau du Capitaine Crochet, au milieu de l'océan.

- Méfiez-vous de cet odieux personnage. Il y a longtemps, il est vrai un peu à cause de moi, un crocodile lui a dévoré la main et avalé sa montre. Depuis, le moindre tic-tac le rend nerveux. Son souhait le plus cher est de me capturer, mais comme il n'y arrive pas, il s'en prend aux Enfants Perdus.

La nouvelle amitié entre Peter Pan et Wendy rendait Clochette jalouse.

Très énervée, elle vola jusqu'à épuisement, puis se posa sur la place des Enfants Perdus.

- S'il vous plaît, Enfants Perdus, s'exclama-t-elle, aidez Peter Pan ! Il vole avec deux enfants et un oiseau de mauvais augure les poursuit !

Clochette montra le ciel et désigna Wendy.

Aussitôt, le plus adroit des Enfants Perdus chargea une libellule dans sa fronde et visa Wendy.

La libellule s'approcha de Wendy et prononça à son oreille la formule magique :

- Ail plus ail, et le vent tombe !

Wendy se sentit entraînée vers le sol et atterrit sur la place des Enfants Perdus.

Très vite, les Enfants Perdus se rendirent compte que Wendy n'était pas l'oiseau de mauvais augure décrit par la fée Clochette, mais une charmante jeune fille qui, chaque soir, racontait des histoires qui les émerveillaient.

Une nuit, une voix retentit sur la place des Enfants Perdus :

- Vous êtes mes prisonniers !

C'était le capitaine Crochet, suivi de ses pirates.

À ce même instant, l'horloge du clocher se mit à sonner. En entendant son tic-tac, le Capitaine Crochet devint furieux. Il saisit Wendy avec son crochet et déclara :

- Si vous voulez revoir cette fille, dites à Peter Pan qu'il se rende. Il sera mon prisonnier !

Crochet et ses pirates repartirent aussi vite qu'ils étaient arrivés.

Quand les Enfants Perdus racontèrent leur terrible mésaventure à Peter Pan,
il fit immédiatement route vers le bateau du capitaine Crochet.

- Crochet ! Me voici ! Libère Wendy et je me rends !

Le Capitaine Crochet relâcha Wendy qui s'envola jusqu'à la place des Enfants Perdus.

- Peter Pan est prisonnier du Capitaine Crochet, leur annonça-t-elle.

Soudain, Clochette apparut.

- Tout est de ma faute, Wendy ! dit-elle. Acceptes-tu de me pardonner ?

Wendy lui répondit en souriant :

- Oui. Ne perdons pas une minute : il faut sauver Peter Pan !

- J'ai un plan, répondit Clochette. Suivez-moi !

Clochette, Wendy, Michael, John et tous les Enfants Perdus montèrent dans un radeau, puis s'approchèrent au plus près du bateau des pirates. Clochette se mit à danser en rythme au-dessus de l'eau et les vagues produisirent une sorte de tic-tac de plus en plus fort...

- Arrêtez ! Pitié ! cria le Capitaine Crochet.

- Libère Peter Pan ! lui ordonna Wendy, sinon l'océan ne sera qu'un immense tic-tac !

Aussitôt, Capitaine Crochet libéra Peter Pan, hissa les voiles et prit le large.

C'était la fête au Pays Imaginaire.

- Merci mes amis, s'exclama Peter Pan. Vous m'avez sauvé !

Dans la chambre des enfants, John entrouvrit les yeux et secoua Michael.

- Tout cela n'était donc qu'un rêve ? lui demanda-t-il.

Oui, peut-être que tout cela n'était qu'un rêve.

Pourtant, alors que Wendy s'éveillait doucement, elle aussi vit la fée Clochette lui envoyer un baiser avant de s'élancer dans les airs.

FIN

PINOCCHIO

Jiminy Cricket cherchait un abri pour passer la nuit.
Il se faufila dans une maison et atterrit
dans l'atelier de Gepetto, un vieux menuisier.

Gepetto, qui était en train de tailler
un gros morceau de bois, lui donnait petit à petit
la forme d'une marionnette.
- Tu t'appelleras Pinocchio, dit Gepetto,
en posant la marionnette sur l'établi.

Dès que Gepetto fut sorti de l'atelier, une fée bleue apparut.
Elle toucha la tête de la marionnette de sa baguette magique et dit :
- Pinocchio, désormais tu pourras marcher et parler.
Et si tu es sage, tu deviendras un jour un vrai petit garçon.

Sur ces mots, la fée bleue disparut.

Aussitôt, Pinocchio sauta de la table en poussant un cri de joie !

- Que fais-tu là ? s'exclama la marionnette en découvrant Jiminy Cricket. Approche-toi, n'aie pas peur !

- D'accord, répondit le criquet, mais d'abord, promets-moi d'être mon ami !

- Je te le promets, petit criquet ! lui répondit Pinocchio, ravi.

Le lendemain, Gepetto eut une telle joie de découvrir une marionnette animée qu'il la serra tendrement dans ses bras !

Désireux de faire de Pinocchio un fils gentil et travailleur, il l'envoya à l'école.

Sur le chemin de l'école,
Pinocchio rencontra un chat et un renard.

- Viens avec nous
jusqu'au théâtre de marionnettes,
ton père n'en saura rien, lui dirent-ils.

À peine arrivé, Pinocchio fut embauché
par le directeur du théâtre.
Il connut très vite un grand succès,
mais son papa et son ami Jiminy Cricket finirent par lui manquer.

Le directeur refusa de laisser Pinocchio rentrer chez lui.
Alors il pleura, pleura tellement que ses larmes inondèrent le théâtre.
Heureusement, la fée bleue qui veillait sur lui l'aida à s'échapper.

173

Quand Pinocchio arriva dans sa maison, Gepetto et Jiminy Cricket l'attendaient, très inquiets.

Il raconta un mensonge pour justifier son absence. Aussitôt, son nez s'allongea, s'allongea encore et encore. C'était l'œuvre de la fée bleue pour le punir de son mensonge !
Désespéré, Pinocchio avoua toute la vérité à son père.
Et en un instant, son nez reprit son aspect normal.

Gepetto lui pardonna et le renvoya à l'école.

En chemin, Pinocchio et Jiminy Criquet
croisèrent des enfants qui leur proposèrent
de les suivre au Pays des Jouets.

- C'est bien plus amusant que d'aller à l'école, lui dirent-ils.

Pinocchio n'hésita pas une seconde.

Après plusieurs jours au Pays des Jouets,
Pinocchio s'aperçut que
de grandes et horribles oreilles d'âne
lui avaient poussé sur la tête.
C'était sûrement un sort de la fée bleue
pour punir les enfants
qui faisaient l'école buissonnière.

- Je préfère encore l'école
à cette tête affreuse, se dit Pinocchio.

Les deux compagnons s'enfuirent
de ce maudit pays
et retournèrent chez Gepetto.

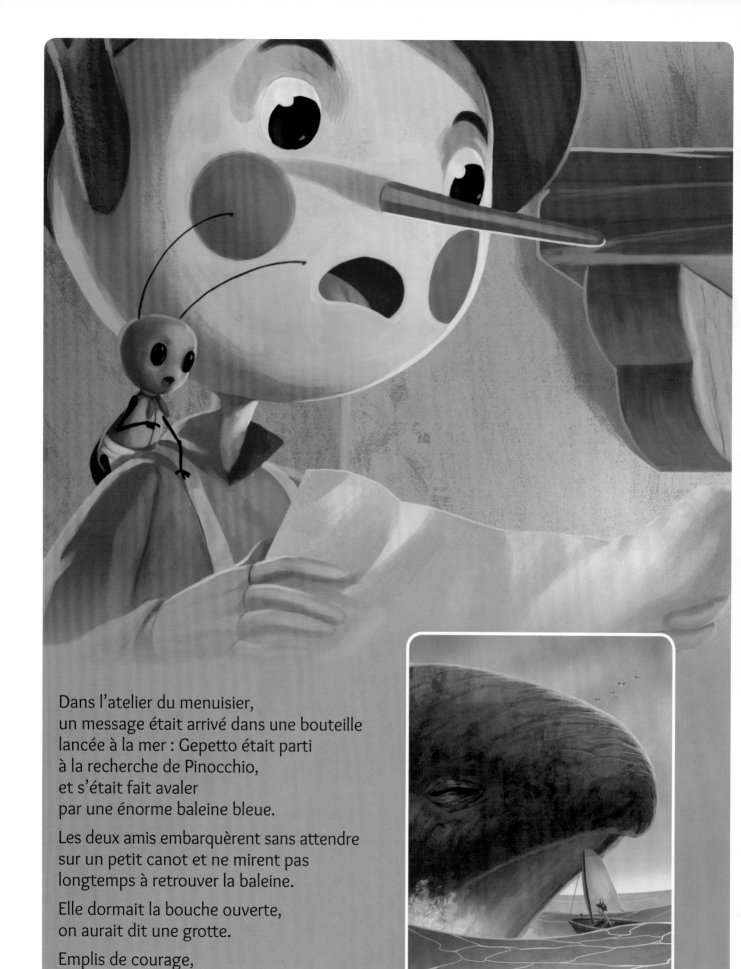

Dans l'atelier du menuisier,
un message était arrivé dans une bouteille
lancée à la mer : Gepetto était parti
à la recherche de Pinocchio,
et s'était fait avaler
par une énorme baleine bleue.

Les deux amis embarquèrent sans attendre
sur un petit canot et ne mirent pas
longtemps à retrouver la baleine.

Elle dormait la bouche ouverte,
on aurait dit une grotte.

Emplis de courage,
les deux amis sautèrent dans sa gueule.

Ils avançaient depuis longtemps dans l'obscurité
quand ils aperçurent une lumière. C'était Gepetto
qui écrivait à la lueur d'une petite lampe !

Pinocchio et Jiminy Cricket coururent vers le vieil homme,
et se blottirent dans ses bras.

Vite ! Il fallait s'échapper
avant que la baleine ne se réveille.

Jiminy Cricket eut l'idée d'allumer un feu.

La baleine, asphyxiée par la fumée,
poussa un éternuement si puissant
qu'ils furent projetés sur la plage.

De retour à la maison, ils reçurent la visite de la fée bleue.

- Pinocchio, dit la fée, bien que tu sois un pantin très polisson,
tu possèdes un grand cœur et tu aimes beaucoup ton papa.
J'ai donc décidé de te changer en un vrai petit garçon en chair et en os.

Elle le toucha de sa baguette magique et son long nez,
ainsi que ses horribles oreilles d'âne, disparurent aussitôt !

À partir de ce jour, Pinocchio se montra un excellent fils pour Gepetto.
Plus jamais il ne fit de mensonge
et il devint un jeune garçon studieux et appliqué.

Et Jiminy Cricket, le fidèle ami de Pinocchio,
fut embauché par Gepetto comme apprenti menuisier.

FIN

RAIPONCE

Il était une fois un jeune couple
qui désirait plus que tout au monde avoir un enfant.

Lorsque Esther, la jeune épouse, apprit à Jonas son mari,
qu'elle attendait un bébé, il redoubla d'attention envers elle.

De sa fenêtre, Esther pouvait admirer le magnifique jardin de sa voisine. Un soir, elle y vit des raiponces, ces jolies fleurs si délicieuses, appelées aussi herbes d'amour. Elle eut envie d'en manger, et Jonas alla en cueillir en se disant qu'il irait s'expliquer le lendemain auprès de sa voisine.

Esther, très touchée, le serra dans ses bras et lui dit :

- Ce sera une fille, elle s'appellera Raiponce et lorsqu'elle sera grande, elle aura des tresses très blondes, très longues et très douces.

Le jour suivant, Jonas alla chez la voisine, mais avant qu'il ne puisse dire un mot, celle-ci lui dit :

- Pour qui te prends-tu pour me voler mes raiponces ?

- Veuillez m'excuser, madame, dit Jonas. Je vous les paierai et nous serons quittes.

- Quittes ? C'est ce que tu crois ! s'exclama la voisine en disparaissant dans un éclat de rire qui ressemblait à celui d'une sorcière.

Lorsque Raiponce vint au monde, tout le village fêta la petite fille,
sauf la voisine, pour qui l'heure de la vengeance avait sonné.

Un jour, derrière un sourire faussement aimable,
elle proposa à Esther et Jonas de garder leur bébé
afin qu'ils puissent aller au bal du village.

En rentrant, Jonas alla chercher Raiponce
chez la voisine. Il frappa à la porte,
mais personne ne vint ouvrir.
Il décida d'entrer et vit le berceau de Raiponce
posé sur le sol.
Mais à la place de sa petite fille,
se trouvaient... des mauvaises herbes !

Esther et Jonas étaient anéantis.
Ils cherchèrent Raiponce dans tout le village
et ses alentours,
mais aucune trace de la petite fille.

La tristesse s'empara d'Esther et de Jonas,
ainsi que de tout le village.
Même les arbres de la forêt laissaient tomber
leurs branches comme des bras fatigués,
et le murmure des eaux du ruisseau
ressemblait à une plainte.

Ils ne revirent jamais leur voisine.
De temps en temps, au milieu de la nuit,
Jonas avait l'impression d'entendre l'écho
de cet épouvantable rire de sorcière.

La sorcière (car c'en était bien une !)
avait kidnappé Raiponce
et l'avait enfermée dans une très haute tour,
sans portes ni escaliers,
très loin dans la forêt.

Seule une minuscule fenêtre
laissait passer la lumière.
Raiponce s'y penchait tous les jours
pour chanter sa tristesse.

Chaque fois que la sorcière voulait monter, elle criait du pied de la tour :

- Raiponce, lance tes tresses !

Alors la jeune fille, qui avait de très longues tresses, les laissait tomber par la fenêtre pour que la sorcière puisse monter.

Quelques années plus tard,
le fils du Roi vint à passer par là.
Il entendit la voix mélodieuse de Raiponce.

- Quelle voix magnifique.
On dirait qu'elle vient de cette tour, se dit le prince.

Et il revint chaque jour l'écouter.
Et c'est ainsi qu'il entendit la sorcière crier :

- Raiponce, lance tes tresses !

Le jour suivant, à la tombée de la nuit,
le prince se rendit au pied de la tour.
Il imita la voix de la sorcière.
Les tresses tombèrent au sol
et le prince grimpa dans la tour.

Au premier regard,
le prince eut un coup de foudre
pour Raiponce.

Le premier effroi passé,
la jeune fille tomba vite
sous le charme du prince.

En secret, le prince rendit visite
à Raiponce tous les soirs.
Il lui demanda de l'épouser
et elle accepta.
Mais comment sortir de la tour ?

- J'ai une idée ! s'exclama Raiponce,
à chaque fois que tu viendras me voir,
apporte avec toi
un écheveau de fil de soie.
Je tisserai une échelle
pour pouvoir descendre
et te rejoindre.

Un jour où la sorcière venait de monter dans la tour,
la jeune fille, par mégarde, laissa échapper :

- Pourquoi est-il si pénible de vous faire monter,
alors que mon prince semble si léger ?

- Ingrate enfant ! Je me suis occupée de toi toutes ces années,
en te protégeant des dangers du monde et tu me remercies en me trompant !

Furieuse, la sorcière sortit des ciseaux de sa poche et coupa les tresses de Raiponce.

Lorsque le prince arriva en bas de la tour,
Raiponce était désespérée
de ne plus pouvoir le faire monter.

- Vite ! Lance l'échelle que tu as tissée !

La jeune fille descendit de la tour,
ils grimpèrent sur le beau cheval du prince
et partirent au galop jusqu'au palais.

Quant à la sorcière,
on raconte qu'en découvrant l'échelle,
elle comprit que Raiponce avait fui avec le prince.
Elle devint folle de rage
et disparut à jamais.

FIN

TOM POUCE

Il était une fois un enfant tout petit qui s'appelait Tom Pouce. Il était tellement petit qu'il pouvait tenir dans le creux d'une main.

Tom Pouce était très joyeux et même un peu espiègle.
Il adorait se cacher dans des endroits où les grands ne pouvaient pas le trouver.
Il était aussi très serviable, toujours prêt à aider ses parents.

Un jour, sa mère eut besoin de safran et Tom Pouce lui demanda de le laisser aller
tout seul à l'épicerie.
- Non ! lui répondit sa mère. Tu es si petit que les gens ne te verront pas
et t'écraseront.
Tom Pouce insista tellement que sa mère accepta.
Après une longue marche, Tom Pouce arriva à l'épicerie.

- S'il vous plaît monsieur, j'aimerais acheter un sachet de safran.
Du safran ! répéta-t-il en criant.

Le marchand, ne voyant personne, se demanda d'où venait cette voix.

- Ici ! criait Tom Pouce en sautillant, une pièce dans la main.

L'homme regarda vers le sol et vit...
une pièce de monnaie qui criait et sautait !

- Je ne suis pas une pièce, je suis un enfant.
Je veux vous acheter un sachet de safran !

Le marchand s'accroupit et souleva Tom Pouce.
Il le déposa doucement sur le comptoir,
puis rapporta le sachet de safran.

Gai comme un pinson,
Tom Pouce sortit de la boutique
en chantant.

Les gens dans la rue se retournaient
pour voir d'où ce chant provenait.

Mais la seule chose qu'ils voyaient
était un sachet de safran qui sautillait
et qui chantait :

- Qui va là, qui va là,
attention à vos pas,
Tom Pouce passe par là.

Quand Tom Pouce arriva à la maison, sa mère fut ravie. Son père lui dit alors :

- Tom Pouce, tu t'es très bien débrouillé. Demain, tu m'accompagneras aux champs et tu m'aideras à conduire le cheval.

Le jour suivant, à l'aube, Tom Pouce et son père quittèrent la maison. L'enfant s'installa dans l'une des oreilles du cheval et commença à lui donner des ordres.

- À droite toute, mon cheval !
Tout droit, tout droit... très bien !

Le père, qui n'avait plus besoin de diriger le cheval avec les rennes, sourit et se dit que ce petit bonhomme était vraiment très malin.

Alors que son père travaillait dans le champ,
Tom Pouce descendit de cheval
et décida d'aller faire un tour.

Il se promenait parmi les choux quand soudain,
la pluie se mit à tomber.
Tom Pouce se réfugia à l'intérieur d'un chou.
Mais un bœuf, qui passait par là, engloutit le chou,
et Tom Pouce avec.

- Quelle malchance ! se dit le minuscule enfant
en tombant au fond de l'estomac du ruminant.
Il y a des centaines de choux dans ce pré
et cet imbécile de bœuf a eu la mauvaise idée
d'avaler le seul toit qui me protégeait !

Le père et la mère de Tom Pouce, très inquiets de ne pas le voir revenir, le cherchèrent pendant des heures.

Ils arrivèrent près d'un champ de choux où broutait un bœuf.

- Tom Pouce ! Où es-tu ? appelaient ses parents.

En entendant leurs voix, Tom Pouce répondit :

- Papa, maman, je suis là, dans le ventre du bœuf !

Les parents, qui n'en croyaient pas leurs oreilles, s'approchèrent du bœuf et commencèrent à lui chatouiller les naseaux. L'animal éternua si fort que Tom Pouce sortit de sa bouche en faisant un énorme vol plané !

Ils remercièrent le bœuf de ne pas l'avoir croqué, et prirent le chemin de la maison en chantant la chanson que vous connaissez déjà :

- Qui va là, qui va là, attention à vos pas, Tom Pouce passe par là.

194

© 2011, Editorial Sol 90 S.L. pour l'édition originale

Traduction, adaptation et coordination éditoriale : Idées Book

Illustrateurs :
Cristian Turdera
Juan Manuel Tumburus
Luis Marcelo Morais
Pablo Olivero
Pablo Sebastián Pino
Patricia López Latour
Sebastián Giacobino
Victoria Assanelli

Conception graphique : Rachel Pilon, Thea Smith

Narration : Élisabeth du Baret, www.bleuturquoiseeditions.fr

Imprimé en Chine